KUAILE HANYU
快乐汉语

练习册

（英语版）

主编 李晓琪

编者 王淑红　宣　雅　刘晓雨

PEOPLE'S EDUCATION PRESS 人民教育出版社

·北京·

总　策　划　许　琳　殷忠民　韦志榕
总　监　制　夏建辉　郑旺全
监　　　制　张彤辉　刘根芹　王世友
　　　　　　赵晓非

主　　　编　李晓琪
编　　　者　王淑红　宣　雅　刘晓雨

责　任　编　辑　田　睿　施　歌
审　　　稿　狄国伟　赵晓非
特　约　审　稿　K. Sarah E. Ostrach ［美］

美　术　编　辑　张　蓓
封　面　设　计　金　葆
插　图　制　作　北京天辰文化艺术传播有限公司
　　　　　　　　李思东工作室
　　　　　　　　薛成生　高　爽

图书在版编目（CIP）数据

快乐汉语（第二版）练习册：英语版. 第2册／李晓琪
等编. —北京：人民教育出版社，2014.12
ISBN 978-7-107-28227-0

Ⅰ.①快… Ⅱ.①李… Ⅲ.①汉语— 对外汉语教学—
习题集 Ⅳ.①H195.4

中国版本图书馆CIP数据核字（2015）第007343号

人民教育出版社 出版发行
网址：http://www.pep.com.cn
大厂益利印刷有限公司印装 全国新华书店经销
2014年12月第1版 2016年9月第2次印刷
开本：890毫米×1 240毫米 1/16 印张：12.75 字数：250千字
定价：85.00元
著作权所有·请勿擅用本书制作各类出版物·违者必究
如发现印、装质量问题，影响阅读，请与本社出版部联系调换。
联系地址：北京市海淀区中关村南大街17号院1号楼 邮编：100081
电话：010-58759215 电子邮箱：yzzlf@pep.com.cn
Printed in the People's Republic of China

目 录 CONTENTS

第四单元 学校生活　*Unit Four　School Life*

第五单元 环境与健康　*Unit Five　Environment and Health*

第六单元 时尚与娱乐　*Unit Six　Fashion and Entertainment*

第七单元 媒 体 *Unit Seven Media*

第八单元 旅游与风俗 *Unit Eight Travel and Traditions*

附录

第一课　他是谁

1.　Write *pinyin* next to the corresponding Chinese.

xìng míngzi shéi péngyou duō huānyíng dìfang nǐmen tāmen guójiā hàomǎ

多 ＿＿＿＿＿＿＿＿＿　　你们 ＿＿＿＿＿＿＿＿＿　　他们 ＿＿＿＿＿＿＿＿＿

谁 ＿＿＿＿＿＿＿＿＿　　名字 ＿＿＿＿＿＿＿＿＿　　欢迎 ＿＿＿＿＿＿＿＿＿

姓 ＿＿＿＿＿＿＿＿＿　　朋友 ＿＿＿＿＿＿＿＿＿　　地方 ＿＿＿＿＿＿＿＿＿

号码 ＿＿＿＿＿＿＿＿＿　　国家 ＿＿＿＿＿＿＿＿＿

2.　Match the English words with the Chinese and the *pinyin*.

who	朋友	nǐmen
many, much	号码	míngzi
they, them	地方	guójiā
friend	姓	tāmen
name	欢迎	péngyou
place	国家	dìfang
to be surnamed	你们	hàomǎ
to welcome	多	xìng
you	名字	shéi
country, nation	他们	huānyíng
number	谁	duō

3.　Write the characters according to the *pinyin* and the number of strokes.

yǒu 4 画							
míng 6 画							

zì 6画												
xíng 8画												
péng 8画												

4. Match the following Chinese with stickers from the appendix and stick them here.

huānyíng nǐmen
1) 欢迎你们

sān gè péngyou
2) 三个朋友

wǒ de míngzi
3) 我的名字

Mǎ Lìli de jiā
4) 马丽丽的家

nǐ de diànhuà hàomǎ
5) 你的电话号码

wǒ de guójiā
6) 我的国家

5. **Refer to the Chinese and write appropriate tone marks on the following *pinyin*.**

   1) 他是谁?   Ta shi shei?

   2) 你叫什么名字?   Ni jiao shenme mingzi?

   3) 小马家在什么地方?   Xiao Ma jia zai shenme difang?

   4) 我有很多朋友。   Wo you hen duo pengyou.

   5) 这是我的房间号码。   Zhe shi wo de fangjian haoma.

   6) 这个国家有很多好地方。 Zhege guojia you hen duo hao difang.

6. **Use the provided radicals to form characters according to the *pinyin*.**

duō	huān	zì	péng

月	欠
宀	夕
夕	月
又	子

7. **Translate the English into Chinese using the provided characters.**

你	字	友
姓	方	迎
欢	他	们
名	朋	地

they _____   you _____

name _____   friend _____

to welcome _____   place _____

full name _____

8. **Choose the picture that best matches the Chinese.**

Tāmen shì wǒ de péngyou.
1) 他 们 是 我 的 朋 友 。（　　）

A. 　　B.

Mǎ Lìli jiā zài Xiānggǎng.
2) 马 丽 丽 家 在 香 港 。（　　）

A. 　　B.

Wǒ xìng Wáng, wǒ jiào Wáng Xiǎomíng.
3) 我 姓 王 ，我 叫 王 小 明 。（　　）

A. 　　B.

Wǒ de péngyou jiào Xiǎolóng, tā shì yǎnyuán.
4) 我 的 朋 友 叫 小 龙 ，他 是 演 员 。（　　）

A. 　　B.

Nǐ de diànhuà hàomǎ shì duōshao?
5) 你的电话号码是多少？（   ）

A.

B.

9. Use the provided name cards to fill in the blanks with *pinyin* or characters.

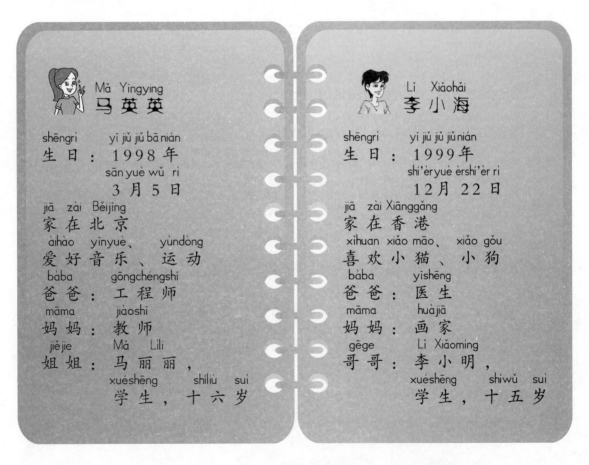

Nǐ hǎo! Wǒ xìng   wǒ jiào Mǎ Yīngying,   wǒ de shēngri shì
1) 你好！我姓 ____，我叫马英英，我的生日是 _____，
wǒ   suì le.
我 _____ 岁了。

Wǒ de àihào shì   hé yùndòng.
我的爱好是 _____ 和运动。

Wǒ jiā zài   Wǒ jiā de   shì liù èr qī wǔ yāo èr sān sì.
我家在 _____。我家的 _____ 是 6 2 7 5 1 2 3 4。

Wǒ bàba shì gōngchéngshī, wǒ _____ shì jiàoshī.
我 爸 爸 是 工 程 师 ， 我 _____ 是 教 师 。

Wǒ jiějie jiào Mǎ Lìli, tā shì _____, tā _____ suì le.
我 姐 姐 叫 马 丽 丽 ， 她 是 _____ ， 她 _____ 岁 了 。

Huānyíng nǐ _____.
欢 迎 你 _____ 。

Lǐ Xiǎohǎi de shēngri shì _____, tā _____ suì le.
2) 李 小 海 的 生 日 是 _____ ， 他 _____ 岁 了 。

Tā xǐhuan _____ hé _____.
他 喜 欢 _____ 和 _____ 。

_____ zài Xiānggǎng. Tā jiā de _____ shì yāo bā líng wǔ.
_____ 在 香 港 。 他 家 的 _____ 是 1 8 0 5 。

Tā _____ shì yīshēng, tā māma shì _____.
他 _____ 是 医 生 ， 他 妈 妈 是 _____ 。

Tā gēge _____ Lǐ Xiǎomíng, tā shì xuéshēng.
他 哥 哥 _____ 李 小 明 ， 他 是 学 生 。

10. **Choose the correct translation.**

1) My name is Ma Lili. I am a student. ( )

Wǒ xìng jiào Mǎ Lìli, wǒ shì xuéshēng.
A. 我 姓 叫 马 丽 丽 ， 我 是 学 生 。

Wǒ de míngzi jiào Mǎ Lìli, wǒ shì xuéshēng.
B. 我 的 名 字 叫 马 丽 丽 ， 我 是 学 生 。

2) I live in Beijing. Beijing is a good place. ( )

Wǒ jiā shì Běijīng, Běijīng shì gè hǎo dìfang.
A. 我 家 是 北 京 ， 北 京 是 个 好 地 方 。

Wǒ jiā zài Běijīng, Běijīng shì gè hǎo dìfang.
B. 我 家 在 北 京 ， 北 京 是 个 好 地 方 。

3) Welcome you to my home. ( )

Huānyíng nǐmen lái wǒ jiā.
A. 欢 迎 你 们 来 我 家 。

Nǐmen lái wǒ jiā shì huānyíng de.
B. 你 们 来 我 家 是 欢 迎 的 。

4) I have many good friends. I like them. ( )

Wǒ yǒu hǎo péngyou hěn duō, wǒ xǐhuan tāmen.
A. 我 有 好 朋 友 很 多 ， 我 喜 欢 他 们 。

Wǒ yǒu hěn duō hǎo péngyou, wǒ xǐhuan tāmen.
B. 我 有 很 多 好 朋 友 ， 我 喜 欢 他 们 。

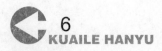

5) My telephone number is 55308742.　(　　)

Wǒ de diànhuà hàomǎ shi wǔ wǔ sān líng bā qī sì èr.
A. 我 的 电 话 号 码 是 5 5 3 0 8 7 4 2。

Wǒ de fángjiān hàomǎ shi wǔ wǔ sān líng bā qī sì èr.
B. 我 的 房 间 号 码 是 5 5 3 0 8 7 4 2。

11.　Invite your friends to visit your family and tell them some information of your family. You could mention:

1) Where you live

2) Your telephone number

3) Your family members

4) The guests whom you have invited

12.　Practice writing characters.

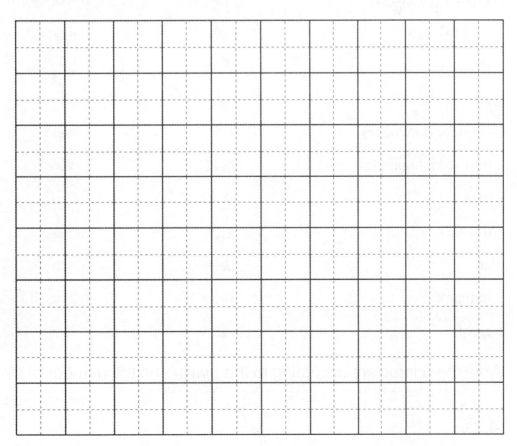

❀ 第二课　她比我高 ❀

1. **Write *pinyin* next to the corresponding Chinese.**

> yìshù　Fǎyǔ　Hànyǔ　xièxie　Yīngyǔ　niánlíng
> duō　tā　shuō　gāo　bǐ　wǎngyǒu　jīnnián

多 _____	高 _____	今年 _____
比 _____	法语 _____	谢谢 _____
她 _____	英语 _____	汉语 _____
说 _____	艺术 _____	年龄 _____
网友 _____		

2. **Match the English words with the Chinese and the *pinyin*.**

English (language)	汉语	jīnnián
high, tall	说	bǐ
French (language)	年龄	wǎngyǒu
to speak	她	yìshù
she, her	英语	tā
age	高	gāo
Chinese (language)	多	xièxie
how (old, high, etc.)	网友	niánlíng
than	今年	shuō
this year	艺术	duō
art	法语	Hànyǔ
to thank	谢谢	Yīngyǔ
e-pal	比	Fǎyǔ

3. **Write the characters according to the *pinyin* and the number of strokes.**

bǐ 4 画						
duō 6 画						

nián 6 画									
shuō 9 画									
gāo 10 画									

4. Match the following Chinese with stickers from the appendix and stick them here.

gēge   bǐ wǒ gāo
1) 哥 哥 比 我 高

Zhōngwénshū bǐ Yīngwénshū duō
2) 中 文 书 比 英 文 书 多

huì shuō Yīngyǔ
3) 会 说 英 语

jīnnián   shí'èr   suì
4) 今 年 十 二 岁

tā de niánlíng bǐ wǒ dà
5) 他 的 年 龄 比 我 大

Xiǎohóng shì wǒ de wǎngyǒu
6) 小 红 是 我 的 网 友

KUAILE HANYU

5. Complete the following sentences with the provided words. Some words may be used more than once.

duō	gāo	lěng	dà
① 多	② 高	③ 冷	④ 大

Xiǎohóng shíwǔ suì, wǒ shísān suì, tā bǐ wǒ
1) 小 红 十 五 岁 ，我 十 三 岁 ，她 比 我 _____ 。

Jīntiān bǐ zuótiān
2) 今 天 比 昨 天 _____ 。

Xiǎohóng de gēge yǒu gāo?
3) 小 红 的 哥 哥 有 _____ 高 ？

Jiějie bǐ wǒ tā xǐhuan yùndòng.
4) 姐 姐 比 我 _____ ，她 喜 欢 运 动 。

Wǒ yǒu liù gè wǎngyǒu, mèimei yǒu sān gè wǎngyǒu, wǒ de wǎngyǒu bǐ
5) 我 有 六 个 网 友 ，妹 妹 有 三 个 网 友 ，我 的 网 友 比

mèimei de
妹 妹 的 _____ 。

6. Refer to the Chinese and write appropriate tone marks on the following *pinyin*.

1) 我今年十六岁，你呢？ Wo jinnian shiliu sui, ni ne?

2) 北京比上海冷。 Beijing bi Shanghai leng.

3) 你会说英语吗？ Ni hui shuo Yingyu ma?

4) 你的汉语很好。 Ni de Hanyu hen hao.

5) 他的年龄比我大，也比我高。 Ta de nianling bi wo da, ye bi wo gao.

6) 你今年多大？ Ni jinnian duo da?

7. Circle the words below that were not mentioned in "Using in Context" on page 8 of the Student's Book.

liù suì	shíliù suì	Hànyǔ	Yīngyǔ
六岁	十六岁	汉语	英语
yìshù	shùxué	huàjiā	gōngchéngshī
艺术	数学	画家	工程师
Xiǎohóng	Xiǎomíng	yīshēng	jīnnián
小红	小明	医生	今年

8. Following the example, fill in the table below with the provided words and phrases.

| duō 多 | gāo 高 | xiǎo 小 | dà 大 | rè 热 | lěng 冷 |

1) Xiǎohóng jiā 小红家   wǒ jiā 我家

2) Shànghǎi 上海   Běijīng 北京

3) huǒchēzhàn 火车站   fēijīchǎng 飞机场

4) gēge 哥哥   jiějie 姐姐

5) Yīngyǔshū 英语书   Hànyǔshū 汉语书

6) zuótiān 昨天   jīntiān 今天

7) wǒ de wǎngyǒu 我的网友   gēge de wǎngyǒu 哥哥的网友

Xiǎohóng jiā 小红家		wǒ jiā 我家	dà. 大。
	bǐ 比		

9. Use the provided radicals to form characters according to the *pinyin*.

hàn	yǔ	yì	tā

女	乙
讠	又
艹	吾
氵	也

10. Translate the English into Chinese using the provided characters.

英	艺	谢
术	昨	语
今	汉	年
法	谢	天

this year _____   yesterday _____

to thank _____   English (language) _____

art _____   Chinese (language) _____

French (language) _____   today _____

11. Choose the picture that best matches the Chinese.

    Wǒ huì shuō Yīngyǔ.
1) 我 会 说 英 语 。 (　　)

A.

B.

    Bàba jīnnián sìshíwǔ suì.
2) 爸 爸 今 年 四 十 五 岁 。 (　　)

A.

B.

Jintiān bǐ zuótiān lěng.
3) 今天比昨天冷。（　　）

A.

B.

Dìdi bǐ wǒ gāo.
4) 弟弟比我高。（　　）

A.

B.

Wǒ xǐhuan yìshù.
5) 我喜欢艺术。（　　）

A.

B.

12. Read the Chinese and choose the number of the appropriate picture.

①

②

③

④　　　　　　　⑤　　　　　　　⑥　　　　　　　⑦

Wǒ huì shuō Fǎyǔ.
1) 我 会 说 法 语 。 （　　）

Míngtiān bǐ jīntiān rè.
2) 明 天 比 今 天 热 。 （　　）

Māma xǐhuan yìshù.
3) 妈 妈 喜 欢 艺 术 。 （　　）

Xiǎo Wáng shì wǒ de wǎngyǒu, tā zài Zhōngguó.
4) 小 王 是 我 的 网 友 ， 她 在 中 国 。 （　　）

Xiǎomíng bǐ wǒ dà.
5) 小 明 比 我 大 。 （　　）

Jiějie bǐ wǒ gāo.
6) 姐 姐 比 我 高 。 （　　）

David de Hànyǔ hěn hǎo.
7) David 的 汉 语 很 好 。 （　　）

13. Choose the correct translation.

1) I can speak English. I can speak Chinese too. （　　）

Wǒ huì shuō Yīngyǔ, huì shuō Hànyǔ yě.
A. 我 会 说 英 语 ， 会 说 汉 语 也 。

Wǒ huì shuō Yīngyǔ, yě huì shuō Hànyǔ.
B. 我 会 说 英 语 ， 也 会 说 汉 语 。

2) I am sixteen, and you? （　　）

Wǒ jīnnián shíliù suì, nǐ ne?
A. 我 今 年 十 六 岁 ， 你 呢 ？

Wǒ jīnnián shíbā suì, nǐ ne?
B. 我 今 年 十 八 岁 ， 你 呢 ？

3) My friend is taller than me. （　　）

Wǒ de péngyou bǐ wǒ gāo.
A. 我 的 朋 友 比 我 高 。

Wǒ de péngyou gāo bǐ wǒ.
B. 我 的 朋 友 高 比 我 。

4) My teacher has more Chinese books than me. (   )

Lǎoshī de Zhōngwénshū duō bǐ wǒ de.
A. 老师 的 中文书 多 比 我 的 。

Lǎoshī de Zhōngwénshū bǐ wǒ de duō.
B. 老师 的 中文书 比 我 的 多 。

5) My father likes Chinese art and his Chinese is very good. (   )

Bàba xǐhuan Zhōngguó yìshù, tā de Hànyǔ hěn hǎo.
A. 爸爸 喜欢 中国 艺术 ， 他 的 汉语 很 好 。

Bàba xǐhuan Zhōngguó yìshù, tā hěn hǎo shuō Hànyǔ.
B. 爸爸 喜欢 中国 艺术 ， 他 很 好 说 汉语 。

6) I have more e-pals than my sister. (   )

Wǒ de wǎngyǒu bǐ mèimei de duō.
A. 我 的 网友 比 妹妹 的 多 。

Mèimei de wǎngyǒu bǐ wǒ de duō.
B. 妹妹 的 网友 比 我 的 多 。

14. **Draw pictures to illustrate the following sentences.**

Wǒ gēge bǐ wǒ dà sān suì.
1) 我 哥哥 比 我 大 三 岁 。

Xiǎohóng bǐ wǒ gāo.
2) 小红 比 我 高 。

Dìdi měi tiān shàngwǎng, tā yǒu hěn duō wǎngyǒu.
3) 弟弟 每天 上网 ， 他 有 很 多 网友 。

Wǒ mèimei xǐhuan Zhōngguó yìshù, tā xiǎng zuò huàjiā.
4) 我 妹 妹 喜 欢 中 国 艺 术 ， 她 想 做 画 家 。

Wǒ jiā de Zhōngwénshū bǐ Fǎwénshū duō.
5) 我 家 的 中 文 书 比 法 文 书 多 。

15. Practice writing characters.

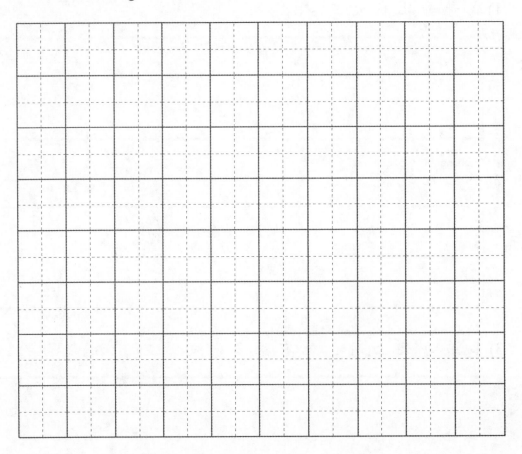

❀ 第三课　我的一天 ❀

1. Write *pinyin* next to the corresponding Chinese.

> fàn　qǐchuáng　kāishǐ　wǎn　shíjiānbiǎo　shuìjiào　zǎo
> měi tiān　mèimei　dìdi　wǎnshang　zhǎnlǎnhuì

每天 _____ 　　开始 _____ 　　早 _____

饭 _____ 　　晚上 _____ 　　晚 _____

弟弟 _____ 　　起床 _____ 　　睡觉 _____

妹妹 _____ 　　时间表 _____ 　　展览会 _____

2. Match the English words with the Chinese and the *pinyin*.

to get up	睡觉	měi tiān
younger sister	晚上	qǐchuáng
early	时间表	zǎo
meal, dinner	晚	wǎnshang
every day	饭	kāishǐ
to begin, to start	弟弟	shíjiānbiǎo
evening	展览会	wǎn
late	起床	shuìjiào
to sleep	妹妹	fàn
younger brother	开始	mèimei
timetable, schedule	每天	dìdi
exhibition	早	zhǎnlǎnhuì

3. Write the characters according to the *pinyin* and the number of strokes.

chuáng 7 画							
fàn 7 画							

měi 7 画											
qǐ 10 画											
shéi 10 画											

4. Match the following Chinese with stickers from the appendix and stick them here.

qī diǎn qǐchuáng
1) 七 点 起 床

qī diǎn bàn chī fàn
2) 七 点 半 吃 饭

bā diǎn kāishǐ shàngkè
3) 八 点 开 始 上 课

xiàwǔ wǔ diǎn shàngwǎng
4) 下 午 五 点 上 网

wǎnshang liù diǎn kàn diànshì
5) 晚 上 六 点 看 电 视

wǎnshang shí diǎn bàn shuìjiào
6) 晚 上 十 点 半 睡 觉

zhǎnlǎnhuì jiǔ diǎn kāishǐ
7) 展 览 会 九 点 开 始

bàba zǎoshang liù diǎn qǐchuáng hē   kāfēi
8) 爸 爸 早 上 六 点 起 床 喝 咖 啡

5. Fill in the sentences below according to the provided timetable.

	Lónglong 龙 龙	Bàba 爸 爸
6:30	shuìjiào 睡 觉	qǐchuáng 起 床
7:00	qǐchuáng 起 床	chī zǎofàn 吃 早 饭
7:30	chī zǎofàn 吃 早 饭	qù shàngbān 去 上 班
8:00	qù xuéxiào 去 学 校	gōngzuò 工 作
15:00	qù túshūguǎn 去 图 书 馆	gōngzuò 工 作
16:30	kàn Zhōngwénshū 看 中 文 书	hē kāfēi 喝 咖 啡
20:45	kàn diànshì 看 电 视	kàn diànshì 看 电 视
21:50	shuìjiào 睡 觉	shàngwǎng 上 网

Lónglong měi tiān   qǐchuáng.
1) 龙 龙 每 天 _____ 起 床 。
Bàba měi tiān   chī zǎofàn.
2) 爸 爸 每 天 _____ 吃 早 饭 。
Lónglong měi tiān bā diǎn
3) 龙 龙 每 天 八 点 _____ 。
Bàba   xiàwǔ   sì diǎn bàn
4) 爸 爸 下 午 四 点 半 _____ 。
Lónglong hé bàba měi tiān wǎnshang   kàn diànshì.
5) 龙 龙 和 爸 爸 每 天 晚 上 _____ 看 电 视 。
Bàba   měi tiān wǎnshang jiǔ diǎn   wǔshí
6) 爸 爸 每 天 晚 上 九 点 五 十 _____ 。

6. Refer to the Chinese and write appropriate tone marks on the following *pinyin*.

1) 星期六早上我八点起床。　Xingqiliu zaoshang wo ba dian qichuang.

2) 我们七点半开始上课。　Women qi dian ban kaishi shangke.

3) 下午三点我去图书馆上网。Xiawu san dian wo qu tushuguan shangwang.

4) 四点了，我想去喝咖啡。　Si dian le, wo xiang qu he kafei.

5) 我早上六点起床，我不　Wo zaoshang liu dian qichuang, wo bu

喜欢很早起床。　xihuan hen zao qichuang.

6) 展览会十点开始，我想去。Zhanlanhui shi dian kaishi, wo xiang qu.

7. Tell T (true) or F (false) according to "Using in Context" on page 13 of the Student's Book.

Wǒ měi tiān zǎoshang qī diǎn qǐchuáng.
1) 我 每 天 早 上 七 点 起 床 。 (　　)
Qī diǎn bàn hē kāfēi.
2) 七 点 半 喝 咖 啡 。 (　　)
Wǒ bā diǎn bàn kāishǐ shàngkè.
3) 我 八 点 半 开 始 上 课 。 (　　)
Wǎnshang qī diǎn kàn diànshì.
4) 晚 上 七 点 看 电 视 。 (　　)
Wǎnshang shí diǎn bàn shuìjiào.
5) 晚 上 十 点 半 睡 觉 。 (　　)
Jīntiān wǎnshang wǒ xiǎng qù kàn diànyǐng.
6) 今 天 晚 上 我 想 去 看 电 影 。 (　　)

8. Use the provided radicals to form characters according to the *pinyin*.

shuì	shǐ	jiān	mèi	wǎn

目	门
日	女
台	未
免	垂

9. Translate the English into Chinese using the provided characters.

开　上　起
天　睡　时
床　间　始
晚　觉　每

time _____　　get up _____

begin _____　　sleep _____

evening _____　　every day _____

10. Choose the picture that best matches the Chinese.

Wǒ měi tiān liù diǎn bàn qǐchuáng.
1) 我 每 天 六 点 半 起 床 。 (　　)

A. 　　　　B.

Bàba zǎoshang qī diǎn chī zǎofàn.
2) 爸 爸 早 上 七 点 吃 早 饭 。 (　　)

A. 　　　　B.

Wǒ měi gè xīngqīliù wǎnshang qù kàn diànyǐng.
3) 我 每 个 星 期 六 晚 上 去 看 电 影 。 (   )

A.

B.

Míngtiān xiàwǔ wǔ diǎn wǒ qù dǎ wǎngqiú.
4) 明 天 下 午 五 点 我 去 打 网 球 。 (   )

A.

B.

Shí diǎn le, wǒ qù shuìjiào le.
5) 十 点 了 ， 我 去 睡 觉 了 。 (   )

A.

B.

Xīngqīliù wǒmen qù zhǎnlǎnhuì kànkan ba.
6) 星 期 六 我 们 去 展 览 会 看 看 吧 。 (   )

A.

B.

11. Read the Chinese and choose the number of the appropriate picture.

① ② ③ ④ ⑤ ⑥

1) Nǐ měi tiān jǐ diǎn qǐchuáng?
你 每 天 几 点 起 床 ?
Wǒ měi tiān qī diǎn qǐchuáng.
我 每 天 七 点 起 床 。 (　　)

2) Nǐ jǐ diǎn shàngkè?
你 几 点 上 课 ?
Wǒ bā diǎn shàngkè.
我 八 点 上 课 。 (　　)

3) Nǐ míng tiān jǐ diǎn yǒu Zhōngwénkè?
你 明 天 几 点 有 中 文 课 ?
Shí diǎn bàn yǒu Zhōngwénkè.
十 点 半 有 中 文 课 。 (　　)

4) Nǐ měi tiān kàn diànshì ma?
你 每 天 看 电 视 吗 ?
Wǒ měi tiān wǎnshang jiǔ diǎn bàn kàn diànshì.
我 每 天 晚 上 九 点 半 看 电 视 。 (　　)

5) Nǐ shénme shíjiān dǎ wǎngqiú?
你 什 么 时 间 打 网 球 ?
Wǒ xīngqīwǔ xiàwǔ sì diǎn bàn dǎ wǎngqiú.
我 星 期 五 下 午 四 点 半 打 网 球 。 (　　)

6) Zhǎnlǎnhuì jǐ diǎn kāishǐ?
展 览 会 几 点 开 始 ?
Xiǎohóng shuō zhǎnlǎnhuì shíyī diǎn kāishǐ.
小 红 说 展 览 会 十 一 点 开 始 。 (　　)

12. Choose the correct translation.

1) My father works in a hospital. He is a doctor. (   )

   Wǒ bàba gōngzuò zài yīyuàn, tā shi yīshēng.
 A. 我 爸 爸 工 作 在 医 院 ，他 是 医 生 。
   Wǒ bàba zài yīyuàn gōngzuò, tā shi yīshēng.
 B. 我 爸 爸 在 医 院 工 作 ，他 是 医 生 。

2) He gets up at 6:30 every morning. He has breakfast at 7:00. (   )

   Tā měi tiān zǎoshang liù diǎn bàn qǐchuáng, qī diǎn chī fàn.
 A. 他 每 天 早 上 六 点 半 起 床 ，七 点 吃 饭 。
   Tā měi tiān zǎoshang qǐchuáng liù diǎn bàn, qī diǎn chī fàn.
 B. 他 每 天 早 上 起 床 六 点 半 ，七 点 吃 饭 。

3) She goes to school at 7:30 by bus. She begins work at 8:00. (   )

   Tā qī diǎn bàn zuò chē qù xuéxiào, kāishǐ gōngzuò bā diǎn.
 A. 她 七 点 半 坐 车 去 学 校 ，开 始 工 作 八 点 。
   Tā qī diǎn bàn zuò chē qù xuéxiào, bā diǎn kāishǐ gōngzuò.
 B. 她 七 点 半 坐 车 去 学 校 ，八 点 开 始 工 作 。

4) Xiaoming watches TV every evening. He goes to bed at 10:00. (   )

   Xiǎomíng kàn diànshì měi tiān wǎnshang, shí diǎn shuìjiào.
 A. 小 明 看 电 视 每 天 晚 上 ，十 点 睡 觉 。
   Xiǎomíng měi tiān wǎnshang kàn diànshì, shí diǎn shuìjiào.
 B. 小 明 每 天 晚 上 看 电 视 ，十 点 睡 觉 。

5) I will go see the exhibition this Saturday. Isn't 8 a.m. too late? (   )

   Xīngqīliù wǒ yào qù zhǎnlǎnhuì kànkan, zǎoshang bā diǎn qù bù wǎn ba?
 A. 星 期 六 我 要 去 展 览 会 看 看 ，早 上 八 点 去 不 晚 吧 ？
   Xīngqīliù wǒ yào qù zhǎnlǎnhuì kànkan, bù wǎn zǎoshang bā diǎn qù ba?
 B. 星 期 六 我 要 去 展 览 会 看 看 ，不 晚 早 上 八 点 去 吧 ？

13. Tick the correct picture according to what you hear.

妈 妈								
爸 爸								
哥 哥								
我								

14. Your Chinese e-pal is coming to visit you and will stay with your family. Tell him or her your family's schedule over the Internet.

15. Practice writing characters.

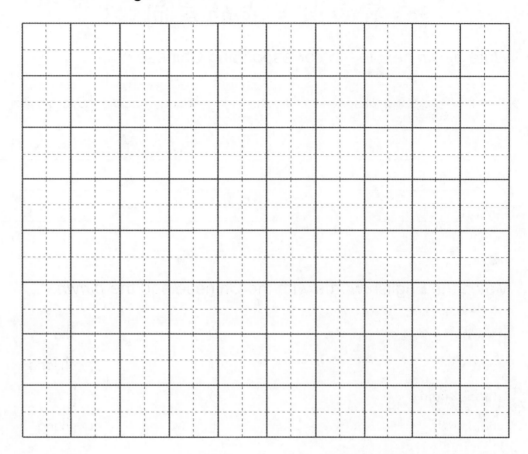

❧ 第四课　我的房间 ❦

1. Write *pinyin* next to the corresponding Chinese.

> li yǐzi kètīng chuáng shāfā shū dēng shang máobǐ shūjià zhuōzi

里 _____   灯 _____   上 _____

沙发 _____   桌子 _____   床 _____

客厅 _____   书架 _____   书 _____

椅子 _____   毛笔 _____

2. Match the English words with the Chinese and the *pinyin*.

book	桌子	shū
bed	椅子	chuáng
living room	沙发	li
bookshelf	毛笔	shang
Chinese calligraphy brush	床	dēng
on	灯	máobǐ
table	里	shāfā
sofa, couch	客厅	zhuōzi
in, inside; at; on	书架	kètīng
chair	上	shūjià
lamp	书	yǐzi

3. Write the characters according to the *pinyin* and the number of strokes.

fā 5 画												

li 7 画									
shā 7 画									
jiān 7 画									
de 8 画									

4. **Match the following Chinese with stickers from the appendix and stick them here.**

zhuōzi hé yǐzi
1) 桌 子 和 椅 子

diànshì hé shāfā
2) 电 视 和 沙 发

chuáng hé shūjià
3) 床 和 书 架

Zhōngwénshū hé Yīngwénshū
4) 中 文 书 和 英 文 书

bàba de máobǐ
5) 爸 爸 的 毛 笔

6)
Zhuōzi shang yǒu dēng、 kèbiǎo、 máobǐ、
桌子上有灯、课表、毛笔、
chá、 kāfēi、 qìshuǐ、 píngguǒ
茶、咖啡、汽水、苹果
hé miànbāo.
和面包。

7)
Kètīng li yǒu shāfā、 diànshì、 shūjià、
客厅里有沙发、电视、书架、
yǐzi、 dēng、 wǎngqiú hé lánqiú.
椅子、灯、网球和篮球。

5. Refer to the Chinese and write appropriate tone marks on the following *pinyin*.

1) 房间里有桌子和椅子。

Fangjian li you zhuozi he yizi.

2) 姐姐的房间里有电脑。

Jiejie de fangjian li you diannao.

3) 客厅里有沙发和电视。

Keting li you shafa he dianshi.

4) 书架上有很多中文书。

Shujia shang you hen duo Zhongwenshu.

5) 桌子上有早饭。

Zhuozi shang you zaofan.

6) 爸爸的桌子上有毛笔。

Baba de zhuozi shang you maobi.

6. Circle the words below that were not mentioned in "Using in Contex" on page 21 of the Student's Book.

Zhōngwénshū	Fǎwénshū	Yīngwénshū	máobǐ	shāfā
中 文 书	法 文 书	英 文 书	毛 笔	沙 发
diànnǎo	diànshì	diànyǐng	yīnyuè	
电 脑	电 视	电 影	音 乐	
shūjià	chuáng	yǐzi	dēng	
书 架	床	椅 子	灯	

7. Use the provided radicals to form characters according to the *pinyin*.

yǐ	kè	tīng	dēng	chuáng

广	奇
厂	宀
各	丁
火	木

8. Translate the English into Chinese using the provided characters.

架 椅 发
子 厅 厨
沙 书 桌
间 客 房

room _____ kitchen _____

table _____ living room _____

sofa _____ bookshelf _____

chair _____ house _____

9. Choose the picture that best matches the Chinese.

Chúfáng li yǒu miànbāo hé shuǐguǒ.
1) 厨 房 里 有 面 包 和 水 果 。 (   )

A.

B.

Zhuōzi shang yǒu chá hé kāfēi.

2) 桌子上有茶和咖啡。（　　）

A.

B.

Fángjiān li yǒu chuáng hé yǐzi.

3) 房间里有床和椅子。（　　）

A.

B.
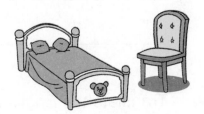

Kètīng li yǒu shāfā hé diànshì.

4) 客厅里有沙发和电视。（　　）

A.

B.

Zhège fángjiān li yǒu diànnǎo hé shūjià.

5) 这个房间里有电脑和书架。（　　）

A.

B.

Shūjià shang yǒu dēng hé hěn duō Fǎwénshū.
6) 书 架 上 有 灯 和 很 多 法 文 书 。（　　）

A.

B.

Zhuōzi shang yǒu máobǐ ma?
7) 桌 子 上 有 毛 笔 吗 ？（　　）

A.

B.

10. Read the Chinese and choose the number of the appropriate picture.

① ② ③

④ ⑤ ⑥

⑦

Māma de fángjiān li yǒu shénme?
1) 妈 妈 的 房 间 里 有 什 么 ？

Māma de fángjiān li yǒu chuáng hé xiǎo shāfā.
妈 妈 的 房 间 里 有 床 和 小 沙 发 。 （　　）

Nǐ de fángjiān li yǒu shénme?
2) 你 的 房 间 里 有 什 么 ？

Wǒ de fángjiān li yǒu zhuōzi hé yǐzi.
我 的 房 间 里 有 桌 子 和 椅 子 。 （　　）

Zhuōzi shang yǒu shénme?
3) 桌 子 上 有 什 么 ？

Zhuōzi shang yǒu dēng hé Zhōngwénshū.
桌 子 上 有 灯 和 中 文 书 。 （　　）

Kètīng li yǒu shénme?
4) 客 厅 里 有 什 么 ？

Kètīng li yǒu diànshì hé shāfā.
客 厅 里 有 电 视 和 沙 发 。 （　　）

Shāfā shang yǒu shénme?
5) 沙 发 上 有 什 么 ？

Shāfā shang yǒu yì zhī xiǎo gǒu.
沙 发 上 有 一 只 小 狗 。 （　　）

Shūjià shang yǒu shénme?
6) 书 架 上 有 什 么 ？

Shūjià shang yǒu hěn duō shū.
书 架 上 有 很 多 书 。 （　　）

Nàge Zhōngguó xuéshēng de zhuōzi shang yǒu shénme?
7) 那 个 中 国 学 生 的 桌 子 上 有 什 么 ？

Tā de zhuōzi shang yǒu máobǐ.
他 的 桌 子 上 有 毛 笔 。 （　　）

11.　Choose the correct translation.

1) A table, a chair and a bed are in the room.　（　　）

Fángjiān li yǒu zhuōzi、 yǐzi hé chuáng.
A. 房 间 里 有 桌 子 、 椅 子 和 床 。

Zhuōzi、 yǐzi hé chuáng yǒu fángjiān li.
B. 桌 子 、 椅 子 和 床 有 房 间 里 。

2) A television and a sofa are in the living room.　（　　）

Kètīng li yǒu diànshì hé shāfā.
A. 客 厅 里 有 电 视 和 沙 发 。

Kètīng li zài diànshì hé shāfā.
B. 客 厅 里 在 电 视 和 沙 发 。

3) A cat is on the sofa.　(　　)

　　　　Shāfā shang zài　yì　zhī māo.
A. 沙 发 上 在 一 只 猫 。
　　　　Shāfā shang yǒu　yì　zhī māo.
B. 沙 发 上 有 一 只 猫 。

4) A computer is in my father's room. His hobby is surfing the web.　(　　)

　　　Yǒu diànnǎo zài wǒ　bàba　de　fángjiān li,　　tā　de　àihào　shì shàngwǎng.
A. 有 电 脑 在 我 爸 爸 的 房 间 里 , 他 的 爱 好 是 上 网 。
　　wǒ　bàba　de　fángjiān li yǒu diànnǎo,　　tā　de　àihào　shì shàngwǎng.
B. 我 爸 爸 的 房 间 里 有 电 脑 , 他 的 爱 好 是 上 网 。

5) Some Chinese books and English books are on the bookshelf.　(　　)

　　　Shūjià shang yǒu Zhōngwénshū hé　Yīngwénshū.
A. 书 架 上 有 中 文 书 和 英 文 书 。
　　Zhōngwénshū hé Yīngwénshū yǒu　shūjià li.
B. 中 文 书 和 英 文 书 有 书 架 里 。

6) Some Chinese calligraphy brushes are on my table. They are from China.

　　　　　　　　　　　　　　　　　　　　　　　　(　　)

　　　Wǒ de　zhuōzi shang yǒu máobǐ,　　shì Zhōngguó máobǐ.
A. 我 的 桌 子 上 有 毛 笔 , 是 中 国 毛 笔 。
　　　Wǒ de　zhuōzi shang yǒu kāfēi,　　shì Zhōngguó kāfēi.
B. 我 的 桌 子 上 有 咖 啡 , 是 中 国 咖 啡 。

12. Describe the differences between your room and your parents' room using the provided words.

chuáng 床	zhuōzi 桌子	yǐzi 椅子	shāfā 沙发	shūjià 书架
diànshì 电视	diànnǎo 电脑	máobǐ 毛笔	Zhōngwénshū 中文书	Yīngwénshū 英文书

13. Practice writing characters.

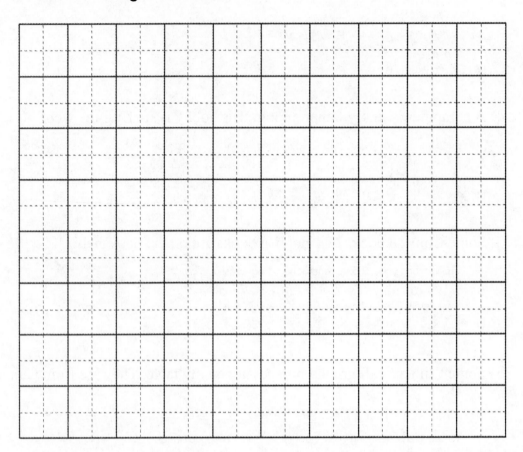

❀ 第五课　客厅在南边 ❀

1. Write *pinyin* next to the corresponding Chinese.

duìmiàn　dōngbian　nánbian　fàntīng　mén　zuò fàn　wèishēngjiān　wòshì

门 ＿＿＿＿＿＿＿　东边 ＿＿＿＿＿＿＿　南边 ＿＿＿＿＿＿＿

卧室 ＿＿＿＿＿＿＿　饭厅 ＿＿＿＿＿＿＿　对面 ＿＿＿＿＿＿＿

做饭 ＿＿＿＿＿＿＿　卫生间 ＿＿＿＿＿＿＿

2. Match the English words with the Chinese and the *pinyin*.

south	卧室	mén
opposite	东边	nánbian
bedroom	做饭	dōngbian
cook	南边	wòshì
east	饭厅	zuò fàn
dining room	卫生间	duìmiàn
bathroom	门	fàntīng
door	对面	wèishēngjiān

3. Write the characters according to the *pinyin* and the number of strokes.

dōng 5 画									
biān 5 画									
duì 5 画									
miàn 9 画									
nán 9 画									

4. Match the following Chinese with stickers from the appendix and stick them here.

wǒ jiā de kètīng
1) 我 家 的 客 厅

Xiǎohóng de wòshì
2) 小 红 的 卧 室

Xiǎohǎi jiā de fàntīng
3) 小 海 家 的 饭 厅

Míngming jiā de wèishēngjiān
4) 明 明 家 的 卫 生 间

5. Following the example, fill in the table below with the provided words and phrases.

shuǐguǒ	shāfā	diànshì	yǐzi	zhuōzi	shūjià
水 果	沙 发	电 视	椅 子	桌 子	书 架
qìshuǐ	dēng	Zhōngwénshū	chá	chuáng	diànnǎo
汽 水	灯	中 文 书	茶	床	电 脑
Yīngwénshū	kèbiǎo	miànbāo	kāfēi	Fǎwénshū	mén
英 文 书	课 表	面 包	咖 啡	法 文 书	门

kètīng 客 厅	wòshì 卧 室	fàntīng 饭 厅	shūjià 书 架
shāfā 沙 发			

6. Complete the following sentences with the provided words. Some words may be used more than once.

	li	shang	zài	páng	dui
①	里	② 上	③ 在	④ 旁	⑤ 对

Wèishēngjiān　　　　　　nǎr?
1) 卫 生 间 _____ 哪 儿 ？

Lǐtáng　　　　　yǒu hěn duō　yǐzi.
2) 礼 堂 _____ 有 很 多 椅 子 。

Chuáng　　　　yǒu yì　zhī xiǎo māo.
3) 床 _____ 有 一 只 小 猫 。

Fàntīng zài kètīng　　　　　biān.
4) 饭 厅 在 客 厅 _____ 边 。

Gēge　de　wòshì zài wǒ de　wòshì　　　miàn.
5) 哥 哥 的 卧 室 在 我 的 卧 室 _____ 面 。

7. Refer to the Chinese and write appropriate tone marks on the following *pinyin*.

1) 卫生间在客厅对面。
Weishengjian zai keting duimian.

2) 卧室在东边。
Woshi zai dongbian.

3) 我家有六个房间。
Wo jia you liu ge fangjian.

4) 饭厅在南边。
Fanting zai nanbian.

5) 妈妈在厨房做饭。
Mama zai chufang zuo fan.

8. Tell T (true) or F (false) according to "Using in Context" on page 27 of the Student's Book.

Wǒ jiā bù hěn dà,　　yǒu sān gè fángjiān.
1) 我 家 不 很 大 ， 有 三 个 房 间 。 （　　）

Fàntīng zài　kètīng pángbiān.
2) 饭 厅 在 客 厅 旁 边 。 （　　）

Wèishēngjiān zài　wòshì　duìmiàn.
3) 卫 生 间 在 卧 室 对 面 。 （　　）

Kètīng zài dōngbiān.
4) 客 厅 在 东 边 。 （　　）

Fàntīng zài nánbiān.
5) 饭 厅 在 南 边 。 （　　）

Wèishēngjiān zài dōngbiān.
6) 卫 生 间 在 东 边 。 （　　）

9. Use the provided radicals to form characters according to the *pinyin*.

fàn	duì	wò	shì

臣	亻
至	又
反	宀
寸	卜

10. Translate the English into Chinese using the provided characters.

边　室　饭
客　早　面
卧　厅　东
南　对　旁

breakfast _____　opposite _____

sitting room _____　east _____

bedroom _____　beside _____

south _____　dining room _____

11. Choose the picture that best matches the Chinese.

Zhè shì wǒ jiā de wòshì.
1) 这 是 我 家 的 卧 室 。 (　　)

A.

B.

Fàntīng li yǒu hěn duō shuǐguǒ.
2) 饭 厅 里 有 很 多 水 果 。 (　　)

A.

B.

Kètīng de mén zài nánbian.
3) 客厅的门在南边。（　　）

A.

B.

Wèishēngjiān zài wòshì duìmiàn.
4) 卫生间在卧室对面。（　　）

A.

B.

Bàba māma de wòshì zài dōngbian.
5) 爸爸妈妈的卧室在东边。（　　）

A.
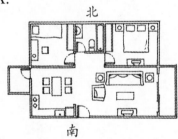

B.

Jiějie zài chúfáng zuò fàn.
6) 姐姐在厨房做饭。（　　）

A.

B.

12. Read the Chinese and choose the number of the appropriate picture.

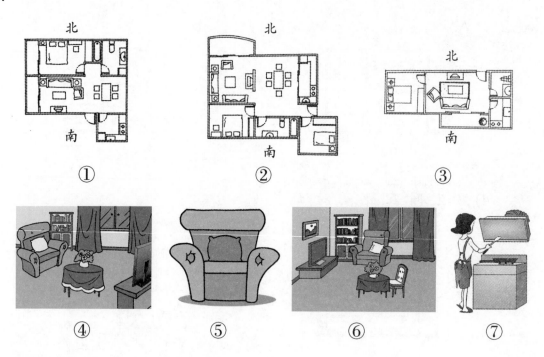

① ② ③

④ ⑤ ⑥ ⑦

Kètīng zài nǎr?
1) 客厅在哪儿？
Kètīng zài nánbian.
客厅在南边。（　　）

Kètīng li yǒu shénme?
2) 客厅里有什么？
Kètīng li yǒu shāfā、 diànshì hé yǐzi.
客厅里有沙发、电视和椅子。（　　）

Wǒ xiǎng kàn diànshì, diànshì zài nǎr?
3) 我想看电视，电视在哪儿？
Diànshì zài shāfā duìmiàn.
电视在沙发对面。（　　）

Wèishēngjiān zài nǎr?
4) 卫生间在哪儿？
Wèishēngjiān zài kètīng dōngbian.
卫生间在客厅东边。（　　）

Fàntīng zài nǎr?
5) 饭厅在哪儿？
Fàntīng zài chúfáng xībian.
饭厅在厨房西边。（　　）

Māma zài nǎr?
6) 妈妈在哪儿？
Māma zài chúfáng zuò fàn.
妈妈在厨房做饭。（　　）

13. **Choose the correct translation.**

1) This is my sitting room. The dining room is opposite. (　　)

A. Zhè shì wǒ jiā de kètīng, fàntīng shì kètīng duìmiàn.
这是我家的客厅，饭厅是客厅对面。

B. Zhè shì wǒ jiā de kètīng, fàntīng zài kètīng duìmiàn.
这是我家的客厅，饭厅在客厅对面。

2) The kitchen is on the east side. I have tea in the kitchen. (　　)

A. Chúfáng shì dōngbian, wǒ hē chá zài chúfáng.
厨房是东边，我喝茶在厨房。

B. Chúfáng zài dōngbian, wǒ zài chúfáng hē chá.
厨房在东边，我在厨房喝茶。

3) The toilet is to the south. Go straight. (　　)

A. Wèishēngjiān shì nánbian, zǒu wǎng qián.
卫生间是南边，走往前。

B. Wèishēngjiān zài nánbian, wǎng qián zǒu.
卫生间在南边，往前走。

4) My bedroom is to the left. My brother's bedroom is to the right. (　　)

A. Wǒ de wòshì zài zuǒbian, gēge de wòshì zài yòubian.
我的卧室在左边，哥哥的卧室在右边。

B. Wǒ de wòshì shì zuǒbian, gēge de wòshì shì yòubian.
我的卧室是左边，哥哥的卧室是右边。

5) My mom is the one who cooks in my family. She is very good at cooking. (　　)

A. Zài wǒ jiā wǒ māma zuò fàn, tā zuò fàn hěn hǎochī.
在我家我妈妈做饭，她做饭很好吃。

B. Zài wǒ jiā wǒ māma zuò fàn, tā hěn hǎochī zuò fàn.
在我家我妈妈做饭，她很好吃做饭。

14. A Chinese exchange student is going to stay with your family for a week. Give him/her a tour of your home. You could mention:

1) Where the guest room is

2) Where the toilet is

3) Where the kitchen is

4) Where he/she can use the computer

5) Where and when he/she can watch TV

6) Where he/she can leave his/her bicycle

15. Practice writing characters.

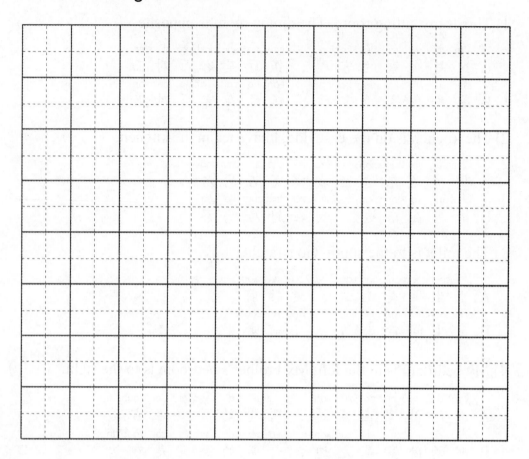

第六课　你家的花园真漂亮

1. Write *pinyin* next to the corresponding Chinese.

> jiājù　zhēn　piàoliang　shūzhuō　ānjìng　huāyuán
> zhěngqí　gānjìng　běn　zázhì　nǐmen de　huā

花 _____　　真 _____　　本 _____

干净 _____　　花园 _____　　杂志 _____

书桌 _____　　家具 _____　　漂亮 _____

整齐 _____　　安静 _____　　你们的 _____

2. Match the English words with the Chinese and the *pinyin*.

tidy, neat	书桌	nǐmen de
furniture	花园	piàoliang
beautiful	安静	zázhì
magazine	整齐	zhēn
really	你们的	zhěngqí
garden	花	gānjìng
clean	真	jiājù
to be quiet; quiet	杂志	ānjìng
your; yours	干净	huāyuán
desk	家具	huā
flower	漂亮	shūzhuō

3. Write the characters according to the *pinyin* and the number of strokes.

gān 3 画								
huā 7 画								
jìng 8 画								
zhuō 10 画								
zhēn 10 画								

4. Match the following Chinese with stickers from the appendix and stick them here.

piàoliang de huāyuán
1) 漂 亮 的 花 园

hěn duō huā
2) 很 多 花

gānjìng de jiājù
3) 干 净 的 家 具

zhěngqí de shūzhuō
4) 整 齐 的 书 桌

Zhōngwén zázhì
5) 中 文 杂 志

ānjìng de túshūguǎn
6) 安 静 的 图 书 馆

5. Following the example, fill in the table below with the provided words and phrases.

miànbāo 面包	Zhōngwénshū 中文书	zázhì 杂志	guǒzhī 果汁	niúnǎi 牛奶	píngguǒ 苹果	dēng 灯
huā 花	shāfā 沙发	chuáng 床	diànshì 电视	diànnǎo 电脑	zhuōzi 桌子	
yǐzi 椅子	jiājù 家具	shūjià 书架	lánqiú 篮球	wǎngqiú 网球	mén 门	

huāyuán li yǒu 花 园 里 有	huā 花
kètīng li yǒu 客 厅 里 有	
wòshì li yǒu 卧 室 里 有	
fàntīng li yǒu 饭 厅 里 有	
shūzhuō shang yǒu 书 桌 上 有	

6. Refer to the Chinese and write appropriate tone marks on the following *pinyin*.

1) 你家的花园真漂亮！

   Ni jia de huayuan zhen piaoliang!

2) 他家的花园里有很多花。

   Ta jia de huayuan li you hen duo hua.

3) 姐姐的房间很干净。

   Jiejie de fangjian hen ganjing.

4) 哥哥的书架很整齐。

   Gege de shujia hen zhengqi.

5) 我们的教室很安静。

   Women de jiaoshi hen anjing.

7. Tell T (true) or F (false) according to "Using in Context" on page 33 of the Student's Book.

    Huāyuán li yǒu hěn duō shuǐguǒ.
1) 花 园 里 有 很 多 水 果 。 (　　)

    Bàba、　　　māma xǐhuan huā.
2) 爸 爸 、 妈 妈 喜 欢 花 。 (　　)

    Wǒ de fángjiān li méiyǒu yǐzi.
3) 我 的 房 间 里 没 有 椅 子 。 (　　)

    Shūzhuō shang yǒu diànshi.
4) 书 桌 上 有 电 视 。 (　　)

    Shūjià shang yǒu hěn duō shū.
5) 书 架 上 有 很 多 书 。 (　　)

    Wǒ de fángjiān bù hěn zhěngqí.
6) 我 的 房 间 不 很 整 齐 。 (　　)

    Wǒ de fángjiān hěn ānjìng.
7) 我 的 房 间 很 安 静 。 (　　)

8. Use the provided radicals to form characters according to the *pinyin*.

zhěng	qí	piào	yuán

元	刂
正	氵
票	攵
文	囗

9. Translate the English into Chinese using the provided characters.

净　书　齐
亮　园　漂
架　干　子
整　花　桌

beautiful _____   garden _____

tidy, neat _____   clean _____

bookshelf _____   table _____

desk _____

10. Choose the picture that best matches the Chinese.

Wǒ jiā pángbiān yǒu hěn duō huā.

1) 我家旁边有很多花。（　　）

A. 　　　B.

Kètīng li yǒu shāfā hé diànshì.

2) 客厅里有沙发和电视。（　　）

A. 　　　B.

Shūzhuō shang yǒu yì zhī xiǎo māo.

3) 书桌上有一只小猫。（　　）

A. 　　　B.

Jiějie de fángjiān hěn zhěngqí.

4) 姐姐的房间很整齐。（　　）

A. 　　　B.

KUAILE HANYU

Wǒ jiā de fàntīng zhēn gānjìng!
5) 我家的饭厅真干净！（　）

A.

B.

Jiàoshì lǐ hěn ānjìng.
6) 教室里很安静。（　）

A.

B.

11. Select the correct pictures from the appendix according to the Chinese, then stick them here.

Shūzhuō shang yǒu dēng、 shū hé wǒ de kèbiǎo.
1) 书桌上有灯、书和我的课表。

Kètīng lǐ yǒu zhuōzi、 shāfā hé yí gè dà diànshì.
2) 客厅里有桌子、沙发和一个大电视。

Tā jiā de huāyuán li yǒu hěn duō huā.

3) 他家的花园里有很多花。

Zhè shì wǒ de wòshì, yǒu chuáng、 shūzhuō hé yǐzi. Shūzhuō shang yǒu dēng、

4) 这是我的卧室，有床、书桌和椅子。书桌上有灯、

shū hé wǒ de kèbiǎo. Wǒ de wòshì hěn gānjìng, yě hěn ānjìng.

书和我的课表。我的卧室很干净，也很安静。

Zhè shì wǒ jiā de kètīng, kètīng li yǒu zhuōzi、 yǐzi、 shāfā hé yí

5) 这是我家的客厅，客厅里有桌子、椅子、沙发和一

gè dà diànshì. Diànshì pángbiān yǒu jǐ běn Zhōngwén zázhì. Wǒ jiā de kètīng

个大电视。电视旁边有几本中文杂志。我家的客厅

hěn zhěngqí.

很整齐。

Wǒ jiā de huāyuán li yǒu hěn duō huā.   Bàba、   māma xǐhuan huā.
6) 我家的花园里有很多花。爸爸、 妈妈喜欢花。
Wǒ jiā de huāyuán zhēn piàoliang!
我家的花园真漂亮!

12. **Choose the correct translation.**

1) This is our school. It's big and clean.   (   )

    Zhè shì wǒmen de xuéxiào.   Wǒmen de xuéxiào hěn dà、   hěn gānjìng.
A. 这是我们的学校。 我们的学校很大、 很干净。
    Zhè shì wǒmen de xuéxiào.   Wǒmen de xuéxiào shì hěn dà hé hěn gānjìng.
B. 这是我们的学校。 我们的学校是很大和很干净。

2) Many books are on my bookshelf. My bookshelf is very tidy.   (   )

    Yǒu hěn duō shū zài wǒ de shūjià.   Wǒ de shūjià shì hěn zhěngqí.
A. 有很多书在我的书架。 我的书架是很整齐。
    Wǒ de shūjià shang yǒu hěn duō shū.   Wǒ de shūjià hěn zhěngqí.
B. 我的书架上有很多书。 我的书架很整齐。

3) Is this your family's garden? It's so beautiful!   (   )

    Zhè shì nǐ jiā de huāyuán ma?   Nǐ jiā de huāyuán piàoliang hěn!
A. 这是你家的花园吗? 你家的花园漂亮很!
    Zhè shì nǐ jiā de huāyuán ma?   Nǐ jiā de huāyuán zhēn piàoliang!
B. 这是你家的花园吗? 你家的花园真漂亮!

4) A lot of furniture is in my house. My house is clean and tidy.   (   )

    Yǒu hěn duō jiājù zài wǒmen jiā.   Wǒmen jiā shì gānjìng hé zhěngqí.
A. 有很多家具在我们家。 我们家是干净和整齐。
    Wǒmen jiā yǒu hěn duō jiājù.   Wǒmen jiā hěn gānjìng, yě hěn zhěngqí.
B. 我们家有很多家具。 我们家很干净,也很整齐。

5) Some Chinese magazines are on the table in my father's room.　(　　)

Bàba　fángjiān de　zhuōzi shang yǒu　jǐ　běn Zhōngwén zázhi.
A. 爸 爸 房 间 的 桌 子 上 有 几 本 中 文 杂 志 。
Jǐ běn Zhōngwén zázhi shì zài zhuōzi shang zài bàba fángjiān li.
B. 几 本 中 文 杂 志 是 在 桌 子 上 在 爸 爸 房 间 里 。

13.　Talk about the layout of your home. You could mention:

1) The location of the kitchen

2) The location of the bathroom

3) The location of your bedroom

4) The living room

5) The garden

6) The furnishings

14.　Practice writing characters.

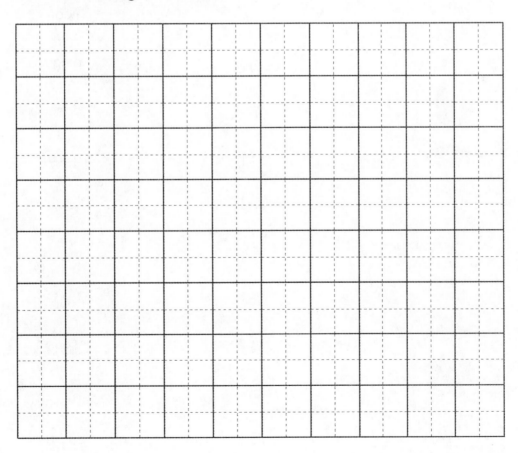

❦ 第七课　你买什么 ❧

1. Write *pinyin* next to the corresponding Chinese.

> hái diǎnxin mǎi hé dōngxi shuǐ píng jīn yào

买 _____　　水 _____　　还 _____

斤 _____　　瓶 _____　　和 _____

要 _____　　东西 _____　　点心 _____

2. Match the pictures with the Chinese and the *pinyin*.

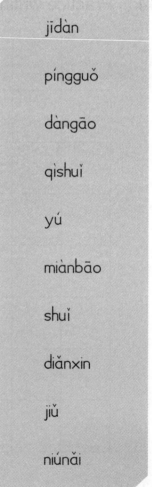

鱼

面包

苹果

酒

牛奶

点心

蛋糕

鸡蛋

水

汽水

jīdàn

píngguǒ

dàngāo

qìshuǐ

yú

miànbāo

shuǐ

diǎnxin

jiǔ

niúnǎi

3. Write the characters according to the *pinyin* and the number of strokes.

jīn 4 画											
mǎi 6 画											
xǐ 6 画											
hái 7 画											
hé 8 画											

4. Match the following Chinese with stickers from the appendix and stick them here.

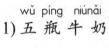
1) 五 瓶 牛 奶

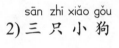
2) 三 只 小 狗

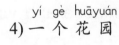
3) 两 斤 苹 果

yí gè huāyuán
4) 一 个 花 园

5. Following the example, fill in the table below with the provided words and phrases.

diǎnxin 点心	miànbāo 面包	guǒzhī 果汁	kāfēi 咖啡	dàngāo 蛋糕	Zhōngwénshū 中文书	shuǐ 水
mǐfàn 米饭	jīdàn 鸡蛋	diànyǐng 电影	miàntiáor 面条儿	Yīngwénshū 英文书	chá 茶	jiǔ 酒
niúnǎi 牛奶	píngguǒ 苹果	hǎixiān 海鲜	Fǎwénshū 法文书	huā 花	fàn 饭	

chī 吃	hē 喝	kàn 看
diǎnxin 点心		

6. Complete the following phrases with the provided words. Some words may be used more than once.

① ge 个 ② píng 瓶 ③ zhī 只 ④ jīn 斤

1) yī 一 _____ shuǐ 水

2) sì 四 _____ fángjiān 房间

3) liǎng 两 _____ xiǎo māo 小猫

4) wǔ 五 _____ píngguǒ 苹果

5) bā 八 _____ jīdàn 鸡蛋

6) yì 一 _____ gēge 哥哥

7) liǎng 两 _____ diǎnxin 点心

8) sān 三 _____ miànbāo 面包

7. Refer to the Chinese and write appropriate tone marks on the following *pinyin*.

1) 我要买三瓶水。   Wo yao mai san ping shui.

2) 这是什么东西?   Zhe shi shenme dongxi?

3) 我要咖啡, 你呢?   Wo yao kafei, ni ne?

4) 他喜欢米饭, 不喜欢面条儿。   Ta xihuan mifan, bu xihuan miantiaor.

8. Circle what they don't buy according to "Using in Context" on page 43 of the Student's Book.

kāfēi 咖啡	diǎnxin 点心	guǒzhī 果汁	shuǐ 水	píngguǒ 苹果	miànbāo 面包
jīròu 鸡肉	niúnǎi 牛奶	qìshuǐ 汽水	jīdàn 鸡蛋	zhūròu 猪肉	miàntiáor 面条儿

9. Use the provided radicals to form characters according to the *pinyin*.

hái	hé	píng	yào

禾	女
西	口
不	瓦
辶	并

10. Translate the English into Chinese using the provided characters.

```
蛋  东  鸡
点  牛  苹
奶  西  心
水  果  汽
```

apple _____   egg _____

snacks, light refreshments, pastries _____

milk _____   soft drinks _____

fruit _____   thing _____

11. Choose the picture that best matches the Chinese.

Wǒmen mǎi píngguǒ.
1) 我们买苹果。（   ）

A.    B.    C.

Zhuōzi shang yǒu shuǐguǒ hé diǎnxin.
2) 桌子上有水果和点心。（   ）

A.   B.    C.

Wǒ yào mǎi liǎng píng guǒzhī hé yì píng qìshuǐ.
3) 我 要 买 两 瓶 果 汁 和 一 瓶 汽 水 。（   ）

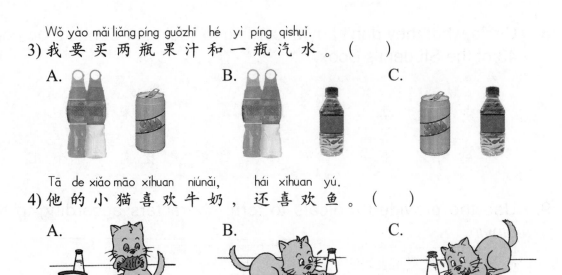

  A.   B.   C.

Tā de xiǎo māo xǐhuan   niúnǎi,   hái xǐhuan yú.
4) 他 的 小 猫 喜 欢 牛 奶 ， 还 喜 欢 鱼 。（   ）

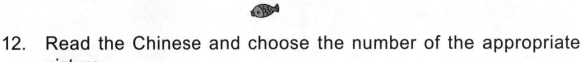

  A.   B.   C.

12. **Read the Chinese and choose the number of the appropriate picture.**

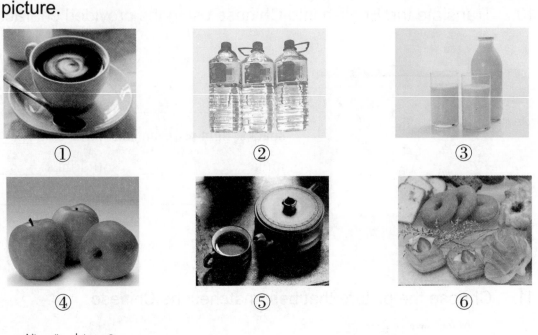

①   ②   ③

④   ⑤   ⑥

Nǐ mǎi shénme?
1) 你 买 什 么 ？
Wǒ mǎi yì jīn diǎnxin.
我 买 一 斤 点 心 。（   ）

Nǐ yào shénme?
2) 你 要 什 么 ？
Wǒ yào sān píng shuǐ.
我 要 三 瓶 水 。（   ）

Nǐ hái yào shénme?
3) 你 还 要 什 么 ？
Wǒ hái yào liǎng jīn píngguǒ.
我 还 要 两 斤 苹 果 。（   ）

Nǐ yào kāfēi ma?

4) 你 要 咖 啡 吗 ？

Wǒ bú yào kāfēi,　　 wǒ yào chá.

我 不 要 咖 啡 ， 我 要 茶 。 （　　）

13. Choose the correct translation.

1) I'm learning Chinese and French.　（　　）

Wǒ xuéxí Zhōngwén hái Fǎwén.

A.我 学 习 中 文 还 法 文 。

Wǒ xuéxí Zhōngwén hé Fǎwén.

B.我 学 习 中 文 和 法 文 。

2) I want a bottle of water and a bottle of juice.　（　　）

Wǒ yào yì píng shuǐ hé yì píng guǒzhī.

A.我 要 一 瓶 水 和 一 瓶 果 汁 。

Wǒ yào yì píng shuǐ yě yì píng guǒzhī.

B.我 要 一 瓶 水 也 一 瓶 果 汁 。

3) What would you like?　（　　）

Nǐ yào shénme?

A.你 要 什 么 ？

Shénme nǐ yào?

B.什 么 你 要 ？

4) How many *jin* of pastry do you want?　（　　）

Nǐ yào jǐ jīn diǎnxin?

A.你 要 几 斤 点 心 ？

Jǐ jīn diǎnxin nǐ yào?

B.几 斤 点 心 你 要 ？

14. Tick the correct pictures according to what you hear.

爸爸									
妈妈									
姐姐									
我									

15. Write a shopping list.

我要买——

16. Practice writing characters.

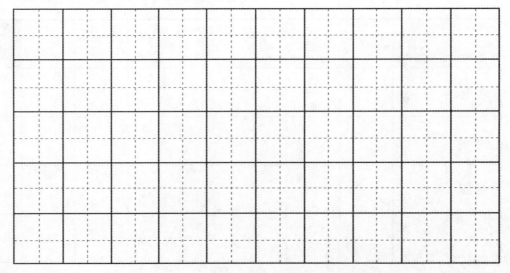

❧ 第八课　苹果多少钱一斤 ☙

1. Write *pinyin* next to the corresponding Chinese.

kuài duōshao qián máo fēn yígòng líng zhūròu jī

钱 _____   鸡 _____   猪肉 _____

分 _____   毛 _____   一共 _____

零 _____   块 _____   多少 _____

2. Match the English words with the Chinese and the *pinyin*.

zero	块	qián
chicken	分	jī
yuan	肉	kuài
money	钱	líng
meat	毛	qīngcài
pork	鸡	fēn
altogether, in all	零	máo
vegetables	一共	ròu
cent (0.01 yuan)	猪肉	duōshao
ten cents (0.10 yuan)	青菜	yígòng
how many, how much	多少	zhūròu

3. Write the characters according to the *pinyin* and the number of strokes.

shǎo 4 画								
fēn 4 画								

gòng 6 画								
kuài 7 画								
qián 10画								

4. Write down the numbers according to the Chinese.

    èrshísì kuài
1) 二 十 四 块 _____

    bā kuài liù
2) 八 块 六 _____

    qī máo wǔ fēn
3) 七 毛 五 分 _____

    wǔ máo
4) 五 毛 _____

    liǎng kuài
5) 两 块 _____

    shíyī kuài jiǔ máo jiǔ
6) 十 一 块 九 毛 九 _____

5. Write down the price in Chinese according to the picture.

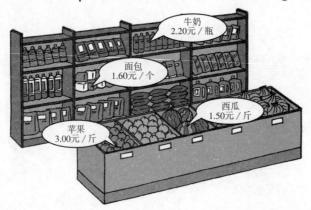

牛奶
2.20元 / 瓶

面包
1.60元 / 个

西瓜
1.50元 / 斤

苹果
3.00元 / 斤

  xīguā   yì jīn
1) 西 瓜 _____ 一 斤

  píngguǒ   yì jīn
2) 苹 果 _____ 一 斤

  niúnǎi   yì píng
3) 牛 奶 _____ 一 瓶

  miànbāo   yí gè
4) 面 包 _____ 一 个

6. Fill in the blanks with the words given.

     gè   píng   zhī   jīn   kuài
    ① 个 ② 瓶 ③ 只 ④ 斤 ⑤ 块

  liǎng   gǒu
1) 两 _____ 狗

  liù   qìshuǐ
2) 六 _____ 汽 水

  sān   píngguǒ
3) 三 _____ 苹 果

  wǔshí   qián
4) 五 十 _____ 钱

  yí   wòshì
5) 一 _____ 卧 室

  yí   shūjià
6) 一 _____ 书 架

7. Refer to the Chinese and write appropriate tone marks on the following *pinyin*.

1) 请问，果汁多少钱一瓶？   Qingwen, guozhi duoshao qian yi ping?

2) 我要五斤苹果。   Wo yao wu jin pingguo.

3) 水一块五一瓶。   Shui yi kuai wu yi ping.

4) 一共二十八块六。   Yigong ershiba kuai liu.

8. Complete the following sentences with the provided words. Some words may be used more than once.

duōshao	nǎr	shéi	shénme	jǐ
① 多少	② 哪儿	③ 谁	④ 什么	⑤ 几

Nǐ de xuéxiào zài
1) 你 的 学 校 在 _____ ？

Nǐ de shēngri shi   yuè   hào?
2) 你 的 生 日 是 _____ 月 _____ 号 ？

Nǐ de Zhōngwén lǎoshi shi
3) 你 的 中 文 老 师 是 _____ ？

Diǎnxin   qián yi jīn?
4) 点 心 _____ 钱 一 斤 ？

Qǐngwèn,   nǐ yào mǎi
5) 请 问 ， 你 要 买 _____ ？

Nǐ jiā zài   dìfang?
6) 你 家 在 _____ 地 方 ？

9. Circle what they don't buy according to "Using in Context" on page 49 of the Student's Book.

guǒzhi	zhūròu	niúròu	píngguǒ	jī	jīdàn	diǎnxin	qīngcài
果汁	猪肉	牛肉	苹果	鸡	鸡蛋	点心	青菜

10. Use the provided radicals to form characters according to the *pinyin*.

qián	kuài	jī	zhū	fēn	líng

土	戋	刀
八	夬	鸟
又	钅	令
雨	犭	者

11. Translate the English into Chinese using the provided characters.

小 一 年
果 多 猪
肉 共 今
猫 汁 少

pork _____   juice _____

altogether _____   little cat _____

how many, how much _____

this year _____

12. Choose the picture that best matches the Chinese.

Píngguǒ duōshao qián yì jīn?
1) 苹果多少钱一斤？（   ）

A.    B. 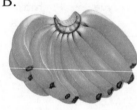   C.

Zhūròu bā kuài sì máo jiǔ yì jīn.
2) 猪肉八块四毛九一斤。（   ）

A.    B.    C.

9.84元/斤   8.94元/斤   8.49元/斤

Guǒzhī yígòng shí'èr kuài bā máo.
3) 果汁一共十二块八毛。（   ）

A.    B.    C.

20.80元   12.80元   12.08元

Wǒ yǒu yí ge gēge, tā shíbā suì.
4) 我 有 一 个 哥 哥 ， 他 十 八 岁 。 （ 　 ）

A.   B.   C.

13.   Choose the correct translation.

1) How much do you want? （ 　 ）

Nǐ yào shénme?   Nǐ yào duōshao?
A. 你 要 什 么 ？   B. 你 要 多 少 ？

2) How much is a chicken? （ 　 ）

Jīdàn duōshao qián yí ge?   Jī duōshao qián yì zhī?
A. 鸡 蛋 多 少 钱 一 个 ？   B. 鸡 多 少 钱 一 只 ？

3) Altogether it's twenty yuan and five cents. （ 　 ）

Yígòng èrshí kuài líng wǔ fēn.   Yígòng èrshí kuài wǔ.
A. 一 共 二 十 块 零 五 分 。   B. 一 共 二 十 块 五 。

4) I want one *jin* of pork and a chicken. （ 　 ）

Wǒ yào yì jīn zhūròu, hé yào yì zhī jī.
A. 我 要 一 斤 猪 肉 ， 和 要 一 只 鸡 。
Wǒ yào yì jīn zhūròu, hái yào yì zhī jī.
B. 我 要 一 斤 猪 肉 ， 还 要 一 只 鸡 。

14.   Fill in the prices according to what you hear.

15. Ask your parents the price of five things. In class, give a report and be sure to include names, prices and measure words.

16. Practice writing characters.

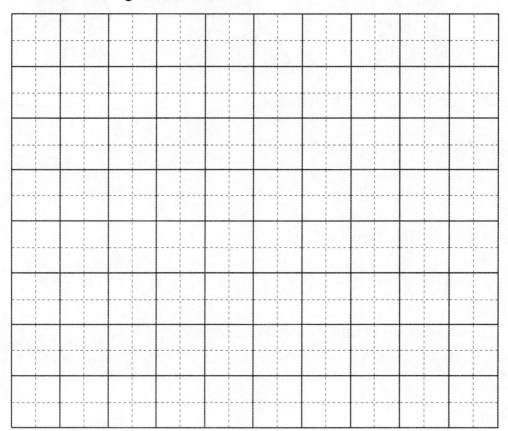

第九课 这件衣服比那件贵一点儿

1. Write *pinyin* next to the corresponding Chinese.

zìxíngchē gēn yíyàng jiàn yīfu guì yìdiǎnr piányi

跟 ＿＿＿＿＿＿   贵 ＿＿＿＿＿＿   件 ＿＿＿＿＿＿

便宜 ＿＿＿＿＿＿   衣服 ＿＿＿＿＿＿   一样 ＿＿＿＿＿＿

一点儿 ＿＿＿＿＿＿   自行车 ＿＿＿＿＿＿

2. Match the pictures with the Chinese and the *pinyin*.

	自行车	dēng
	沙发	chuáng
	桌子	zìxíngchē
	衣服	diànshì
	运动鞋	yǐzi
	床	yùndòngxié
	椅子	shāfā
	书架	máoyī
	毛衣	yīfu
	灯	zhuōzi
	电视	shūjià

3. Select the pictures from the appendix according to the Chinese, then stick them here to decorate the room.

zìxíngchē	shāfā	zhuōzi	yīfu	chuáng
自行车	沙发	桌子	衣服	床
shūjià	dēng	diànshì	yǐzi	diànnǎo
书架	灯	电视	椅子	电脑

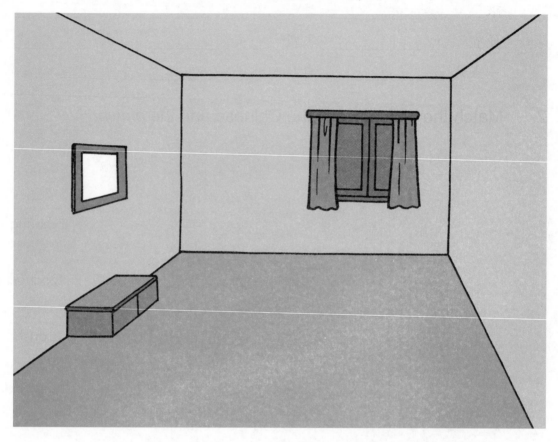

4. Write the characters according to the *pinyin* and the number of strokes.

yī 6 画									
jiàn 6 画									
zì 6 画									
xíng 6 画									
yàng 10 画									

5. Match the following Chinese with stickers from the appendix and stick them here.

Zhège fángjiān bǐ nàge fángjiān dà.
1) 这 个 房 间 比 那 个 房 间 大 。

Zhège dēng gēn nàge dēng yíyàng.
2) 这 个 灯 跟 那 个 灯 一 样 。

Zhège huāyuán bǐ nàge huāyuán piàoliang.
3) 这 个 花 园 比 那 个 花 园 漂 亮 。

Zhè jiàn yīfu bǐ nà jiàn yīfu gānjìng.
4) 这件衣服比那件衣服干净。

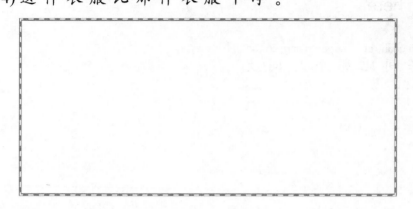

Tā de zìxíngchē gēn wǒ de zìxíngchē bù yíyàng.
5) 他的自行车跟我的自行车不一样。

6. Complete the following phrases with the provided words. Some words may be used more than once.

gè píng zhī jīn jiàn
① 个 ② 瓶 ③ 只 ④ 斤 ⑤ 件

liǎng   niúnǎi
1) 两 _____ 牛奶

yí   huāyuán
2) 一 _____ 花园

sān   jī
3) 三 _____ 鸡

wǔ   píngguǒ
4) 五 _____ 苹果

liǎng   yīfu
5) 两 _____ 衣服

liù   jīdàn
6) 六 _____ 鸡蛋

yì   xiǎo gǒu
7) 一 _____ 小狗

bàn   zhūròu
8) 半 _____ 猪肉

7. Refer to the Chinese and write appropriate tone marks on the following *pinyin*.

1) 我的自行车很便宜。 Wo de zixingche hen pianyi.

2) 这件衣服比那件衣服贵。 Zhe jian yifu bi na jian yifu gui.

3) 哥哥的桌子跟我的桌子一样。 Gege de zhuozi gen wo de zhuozi yiyang.

4) 你的房间比我的房间大一点儿。 Ni de fangjian bi wo de fangjian da yidianr.

8. Do the following exercises according to "Using in Context" on page 55 of the Student's Book.

1) Colour the bicycles of the three persons.

A's bicycle   B's bicycle   Jim's bicycle

2) Write down the answers with *pinyin*.

　　Tā yǒu jǐ jiàn yifu?
a) 他 有 几 件 衣 服 ? _____

　　Nǎ jiàn yifu gui yidiǎnr?
b) 哪 件 衣 服 贵 一 点 儿 ? _____

　　Nǎ jiàn yifu piàoliang?
c) 哪 件 衣 服 漂 亮 ? _____

　　Tā xǐhuan nǎ jiàn yifu?
d) 他 喜 欢 哪 件 衣 服 ? _____

9. Use the provided radicals to form characters according to the *pinyin*.

pián	yàng	jiàn	fú	gēn	yí

木	更	龰
羊	月	且
亻	牛	宀
艮	亻	艮

10. Translate the English into Chinese using the provided characters.

便　行　样
一　衣　自
服　好　亮
车　漂　宜
干　爱　净

(to be the) same ＿＿＿＿＿＿　cheap ＿＿＿＿＿＿

bicycle ＿＿＿＿＿＿＿＿　clean ＿＿＿＿＿＿

clothes ＿＿＿＿＿＿＿＿　beautiful ＿＿＿＿＿

hobby ＿＿＿＿＿＿＿＿

11. Choose the picture that best matches the Chinese.

Tā bǐ wǒ dà　yìdiǎnr.
1) 他 比 我 大 一 点 儿 。 （　　）

A.　　　　　　B.　　　　　　C.

Píngguǒ sān kuài wǔ yì jīn.
2) 苹 果 三 块 五 一 斤 。 （　　）

A.　　　　　　B.　　　　　　C.

3.05元/斤　　　　3.15元/斤　　　　3.50元/斤

Tā jiā de huāyuán méiyǒu wǒ jiā de huāyuán piàoliang.
3) 他 家 的 花 园 没 有 我 家 的 花 园 漂 亮 。 （　　）

A.　　　　　　B.　　　　　　C.

4) Gēge de àihào shì yīnyuè, wǒ de àihào shì diànnǎo yóuxì, wǒmen de
哥哥 的 爱好 是 音乐， 我 的 爱好 是 电脑 游戏 ， 我们 的
àihào bù yíyàng.
爱好 不 一样 。 （ ）

A.　　　　　　　　B.　　　　　　　　C.

12. Read the Chinese and choose the number of the appropriate picture.

① ② ③ ④ ⑤

Wǒ xǐhuan kàn diànshì, nǐ xǐhuan shénme?
1) 我 喜欢 看 电视， 你 喜欢 什么 ？
Wǒ gēn nǐ yíyàng.
我 跟 你 一样 。 （ ）

Nǐ yǒu qìchē ma?
2) 你 有 汽车 吗 ？
Méiyǒu, wǒ yǒu zìxíngchē.
没有 ， 我 有 自行车 。 （ ）

Nǐ mǎi shénme?
3) 你 买 什么 ？
Wǒ mǎi yí jiàn yīfu.
我 买 一件 衣服 。 （ ）

Xiànzài nǐ qù nǎr?
4) 现在 你 去 哪儿 ？
Wǒ qù shàngwǎng.
我 去 上网 。 （ ）

13. Choose the correct translation.

1) My brother's room is not the same as mine.　　　（ ）

Gēge de fángjiān gēn wǒ de fángjiān yíyàng.
A. 哥哥 的 房间 跟 我 的 房间 一样 。
Gēge de fángjiān gēn wǒ de fángjiān bù yíyàng.
B. 哥哥 的 房间 跟 我 的 房间 不 一样 。

2) His bike is better than mine.　　(　　)

      Tā de zìxíngchē bǐ wǒ de zìxíngchē hǎo.
A. 他 的 自 行 车 比 我 的 自 行 车 好 。

      Tā de zìxíngchē méiyǒu wǒ de zìxíngchē hǎo.
B. 他 的 自 行 车 没 有 我 的 自 行 车 好 。

3) This piece of clothing is not as cheap as that one.　　(　　)

      Zhè jiàn yīfu bǐ nà jiàn yīfu piányi.
A. 这 件 衣 服 比 那 件 衣 服 便 宜 。

      Zhè jiàn yīfu méiyǒu nà jiàn yīfu piányi.
B. 这 件 衣 服 没 有 那 件 衣 服 便 宜 。

4) This bedroom is bigger than that one.　　(　　)

      Zhège wòshì bǐ nàge wòshì dà.
A. 这 个 卧 室 比 那 个 卧 室 大 。

      Zhège wòshì méiyǒu nàge wòshì dà.
B. 这 个 卧 室 没 有 那 个 卧 室 大 。

5) The desk is a little more expensive than the bookshelf.　　(　　)

      Shūzhuō bǐ shūjià guì yì diǎnr.
A. 书 桌 比 书 架 贵 一 点 儿 。

      Shūjià bǐ shūzhuō guì yì diǎnr.
B. 书 架 比 书 桌 贵 一 点 儿 。

14.　Mark T (true) or F (false) according to what you hear.

1)

(　　)

2)

(　　)

3)

(　　)

15.　Make a comparison between you and your friend(s), such as height, age, classes, hobbies, etc.

16.　Practice writing characters.

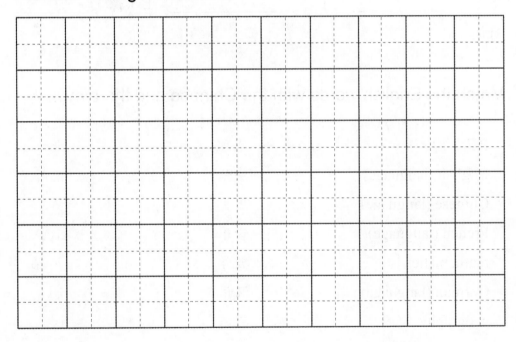

Unit Four   School Life
第四单元   学校生活

❀ 第十课   你今天上了什么课 ❀

1. Write *pinyin* next to the corresponding Chinese.

> Déyǔ le lìshǐ xiàwǔ shùxué dìlǐ
>
> shíjiān míngtiān shàng (kè) zhōumò

数学 _____   历史 _____   明天 _____

地理 _____   周末 _____   德语 _____

下午 _____   了 _____   上（课）_____

时间 _____

2. Match the English words with the Chinese and the *pinyin*.

P.E.	地理	Hànyǔ
English (language)	法语	Yīngyǔ
Chinese (language)	历史	Fǎyǔ
French (language)	音乐	tǐyù
mathematics	数学	Déyǔ
German (language)	汉语	dìlǐ
geography	英语	lìshǐ
history	德语	shùxué
music	体育	yīnyuè

3. Write the characters according to the *pinyin* and the number of strokes.

le 2 画								
lǐ 4 画								
shǐ 5 画								
dì 6 画								
lì 11 画								

4. Tell T (true) or F (false) according to the timetable.

	星期一	星期二	星期三	星期四	星期五
①	地理	汉语	英语	汉语	历史
②	历史	历史	德语	德语	汉语
③	数学	体育	地理	地理	体育
④	汉语	英语	历史	历史	英语

　　　Xīngqīsān　wǒ méiyǒu　Hànyǔkè.
1) 星期三我没有汉语课。　　　　　　(　　)

　　　Xīngqīwǔ　wǒ yǒu　tǐyùkè.
2) 星期五我有体育课。　　　　　　　(　　)

　　　Xīngqī'èr　wǒ yǒu　dìlǐkè　hé　lìshǐkè.
3) 星期二我有地理课和历史课。　　　(　　)

　　　Xīngqīsì　wǒ yǒu　Déyǔkè　hé　lìshǐkè.
4) 星期四我有德语课和历史课。　　　(　　)

　　　Xīngqīyī　wǒ méiyǒu　tǐyùkè　hé　Yīngyǔkè.
5) 星期一我没有体育课和英语课。　　(　　)

5. Refer to the Chinese and write appropriate tone marks on the following *pinyin*.

1) 你今天上了什么课？　　　　Ni jintian shangle shenme ke?

2) 你明天有什么课？　　　　　Ni mingtian you shenme ke?

3) 我今天上了历史课。　　Wo jintian shangle lishike.

4) 你明天有数学课吗?　　Ni mingtian you shuxueke ma?

5) 我明天没有音乐课。　　Wo mingtian meiyou yinyueke.

6) 周末你有时间看电影吗?　　Zhoumo ni you shijian kan dianying ma?

6. Do the following exercises according to "Using in Context" on page 65 of the Student's Book.

1) Circle the subjects that they didn't mention.

Hànyǔ　Déyǔ　Yīngyǔ　Fǎyǔ　lìshǐ　shùxué　yīnyuè　tǐyù　dìlǐ
汉语　德语　英语　法语　历史　数学　音乐　体育　地理

2) Write down the answers with *pinyin*.

Tā shì nǎ guó rén?
a) 他 是 哪 国 人? _____

Tā jīntiān shàngle shénme kè?
b) 他 今 天 上 了 什 么 课? _____

Tā xǐhuan Hànyǔkè ma?
c) 他 喜 欢 汉 语 课 吗? _____

Tā míngtiān yǒu shénme kè?
d) 他 明 天 有 什 么 课? _____

Tā huì shuō shénme yǔ?
e) 他 会 说 什 么 语? _____

7. Use the provided radicals to form characters according to the *pinyin*.

yǔ	dì	míng	shù	xué	lǐ

艹	吾	王
攵	也	日
里	娄	讠
子	土	月

8. Translate the English into Chinese using the provided characters.

史	天	育	学
地	体	乐	上
明	数	音	课
语	理	历	德

history _____   geography _____

(to) go to class _____   tomorrow _____

music _____   P.E. _____

mathematics _____

German (language) _____

9. Read the Chinese and choose the number of the appropriate picture.

① ② ③ ④

⑤ ⑥ ⑦ ⑧

Míngtiān nǐ yǒu shénme kè?
1) 明 天 你 有 什 么 课？
Wǒ yǒu lìshǐkè.
我 有 历 史 课。( )

Nǐ jīntiān shàngle shénme kè?
2) 你 今 天 上 了 什 么 课？
Wǒ shàngle yīnyuèkè.
我 上 了 音 乐 课。( )

Míngtiān nǐ yǒu lìshǐkè ma?
3) 明 天 你 有 历 史 课 吗？
Méiyǒu, wǒ yǒu shùxuékè.
没 有， 我 有 数 学 课。( )

Nǐ huì shuō Déyǔ ma?
4) 你 会 说 德 语 吗 ？
Huì, wǒ huì shuō Déyǔ.
会 ， 我 会 说 德 语 。 （   ）
Xīngqīwǔ wǒ méiyǒu dìlǐkè, nǐ ne?
5) 星 期 五 我 没 有 地 理 课 ， 你 呢 ？
Wǒ yǒu.
我 有 。 （   ）

10. **Choose the correct translation.**

1) I had music class on Friday. （   ）

Wǒ xīngqīsān shàngle yīnyuèkè.
A. 我 星 期 三 上 了 音 乐 课 。
Wǒ xīngqīwǔ shàngle yīnyuèkè.
B. 我 星 期 五 上 了 音 乐 课 。

2) I have geography and mathematics tomorrow. （   ）

Wǒ míngtiān yǒu dìlǐkè hé shùxuékè.
A. 我 明 天 有 地 理 课 和 数 学 课 。
Wǒ míngtiān méiyǒu dìlǐkè hé shùxuékè.
B. 我 明 天 没 有 地 理 课 和 数 学 课 。

3) I don't have Chinese class tomorrow. （   ）

Míngtiān wǒ méiyǒu Hànyǔkè.
A. 明 天 我 没 有 汉 语 课 。
Míngtiān wǒ yǒu Hànyǔkè.
B. 明 天 我 有 汉 语 课 。

4) I like P.E. and German class. （   ）

Wǒ xǐhuan shàng tǐyùkè, bù xǐhuan shàng Déyǔkè.
A. 我 喜 欢 上 体 育 课 ， 不 喜 欢 上 德 语 课 。
Wǒ xǐhuan shàng tǐyùkè hé Déyǔkè.
B. 我 喜 欢 上 体 育 课 和 德 语 课 。

5) I can speak Chinese, and French as well. （   ）

Wǒ huì shuō Hànyǔ, bú huì shuō Fǎyǔ.
A. 我 会 说 汉 语 ， 不 会 说 法 语 。
Wǒ huì shuō Hànyǔ, yě huì shuō Fǎyǔ.
B. 我 会 说 汉 语 ， 也 会 说 法 语 。

11. Fill in the timetable in English according to what you hear.

	星期一	星期二	星期三	星期四	星期五	周末
早上						
下午						
晚上						

12. Describe your siblings' and parents' classes.

13. Practice writing characters.

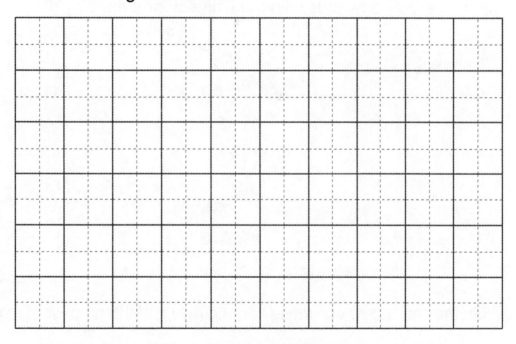

ೲ 第十一课 汉语难不难 ೦ૐ

1. Write *pinyin* next to the corresponding Chinese.

zuòyè kēmù nán yǒu yìsi kǎoshì yǒu kòngr zhōngxué róngyì chéngjì	

难 _____   容易 _____   中学 _____

考试 _____   作业 _____   有空儿 _____

科目 _____   成绩 _____   有意思 _____

2. Match the English words with the Chinese and the *pinyin*.

homework	科目	zuòyè
difficult	作业	yǒu yìsi
subject	难	róngyì
examination	容易	nán
interesting	考试	kēmù
easy	中学	kǎoshì
secondary school	有意思	zhōngxué

3. Write the characters according to the *pinyin* and the number of strokes.

yè 5 画									
zuò 7 画									
kē 9 画									
sì 9 画									
yì 13 画									

4. Fill in the blanks with the number of the subject according to your own situations.

Hànyǔ	Déyǔ	Yīngyǔ	Fǎyǔ	lìshǐ
① 汉语	② 德语	③ 英语	④ 法语	⑤ 历史

shùxué	yīnyuè	tǐyù	dìlǐ
⑥ 数学	⑦ 音乐	⑧ 体育	⑨ 地理

yǒu yìsi
_____有 意 思

méi yìsi
_____没 意 思

róngyì
_____容 易

zuòyè duō
_____作 业 多

nán
_____难

5. Refer to the Chinese and write appropriate tone marks on the following *pinyin*.

1) 我们中学的科目很多。   Women zhongxue de kemu hen duo.

2) 今天有数学作业吗？   Jintian you shuxue zuoye ma?

3) 历史考试难不难？   Lishi kaoshi nan bu nan?

4) 地理课很容易。   Dilike hen rongyi.

5) 音乐课很有意思。   Yinyueke hen you yisi.

6) 你的成绩好不好？   Ni de chengji hao bu hao?

7) 今天下午你有空儿吗？   Jintian xiawu ni you kongr ma?

6. Do the following exercises according to "Using in Context" on page 71 of the Student's Book.

1) Write down the answers with *pinyin*.

Tā jīntiān shàngle shénme kè? Yǒu yìsi ma?
a) 他 今 天 上 了 什 么 课？ 有 意 思 吗？

_____

Hànyǔ nán ma?
b) 汉 语 难 吗 ？ _____

Zhōngxué de kēmù duō bù duō?
c) 中 学 的 科 目 多 不 多 ？ _____

Tā xǐhuan shénme kè?
d) 他 喜 欢 什 么 课 ？ _____

2) Tell T (true) or F (false).

Ann jīntiān shàngle Fǎyǔkè.
a) Ann今 天 上 了 法 语 课 。   (   )

Ann xǐhuan Hànyǔkè,   bù xǐhuan shùxuékè.
b) Ann喜 欢 汉 语 课 ， 不 喜 欢 数 学 课 。   (   )

Hànyǔ zuòyè bù nán.
c) 汉 语 作 业 不 难 。   (   )

Shùxué zuòyè hěn róngyì.
d) 数 学 作 业 很 容 易 。   (   )

7.   Use the provided radicals to form characters according to the *pinyin*.

yī	zuò	kē	sī	shì	nán

禾	心	田
式	亻	斗
讠	又	乍
音	心	隹

8.   Translate the English into Chinese using the provided characters.

中 作 思 科
有 学 考 业
容 意 目 试
课 易 上 没

not to have _____   examination _____

subject _____   interesting _____

homework _____   (to) go to class _____

easy _____   secondary school _____

9. Choose the correct translation.

1) Is the examination difficult? (　　)

　　　Kǎoshì nán bù nán ma?　　　　　　　　　Kǎoshì nán ma?
A. 考 试 难 不 难 吗 ?　　　　　B. 考 试 难 吗 ?

2) Is there a lot of homework today? (　　)

　　　Jīntiān zuòyè nán bù nán?　　　　　　　Jīntiān zuòyè duō bù duō?
A. 今 天 作 业 难 不 难 ?　　　　B. 今 天 作 业 多 不 多 ?

3) There's so much Chinese homework! (　　)

　　　Zhōngwén zuòyè zhēn duō!　　　　　　　Zhōngwén zuòyè duōshao?
A. 中 文 作 业 真 多 !　　　　　B. 中 文 作 业 多 少 ?

4) The history class is easy, and it's very interesting. (　　)

　　　Lìshǐkè bù nán, yě hěn yǒu yìsi.
A. 历 史 课 不 难 , 也 很 有 意 思 。
　　　Lìshǐkè hěn nán, yě hěn yǒu yìsi.
B. 历 史 课 很 难 , 也 很 有 意 思 。

10. Using *pinyin*, fill in the table below with the subjects you like and dislike, and reasons why.

Hànyǔ 汉语	Déyǔ 德语	Yīngyǔ 英语	tǐyù 体育	Fǎyǔ 法语	dìlǐ 地理	lìshǐ 历史	shùxué 数学	yīnyuè 音乐

	kēmù 科目	wèi shénme 为什么 (why)
xǐhuan 喜欢		
bù xǐhuan 不喜欢		

11. Circle his favourite courses according to what you hear.

French (language)   German (language)   Chinese (language)   history

math   geography   P.E.   music

12. Ask three friends about their favourite courses. Be sure to ask them why.

13. Practice writing characters.

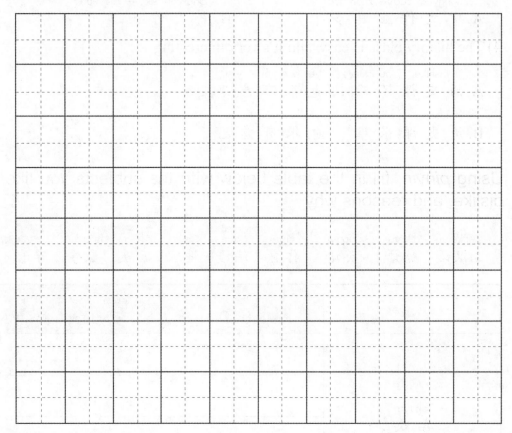

第十二课 来打乒乓球吧

1. Write *pinyin* next to the corresponding Chinese.

> lái yǔmáoqiú zúqiú yóuyǒngchí shūfǎ
> pīngpāngqiú tī xuéxí shàngxué yǔyán

来 _____   足球 _____   乒乓球 _____

踢 _____   书法 _____   羽毛球 _____

学习 _____   语言 _____   游泳池 _____

上学 _____

2. Match the pictures with the Chinese and the *pinyin*.

游泳   lánqiú

网球   yóuyǒng

篮球   wǎngqiú

足球   zúqiú

乒乓球   yǔmáoqiú

羽毛球   pīngpāngqiú

3. Write the characters according to the *pinyin* and the number of strokes.

xí										
3 画										
máo										
4 画										

zú 7画										
lái 7画										
tī 15画										

4. Fill in the blanks with the correct characters.

kàn 看	dǎ 打	tī 踢	tīng 听

1) _____ diànyǐng 电影
2) _____ wǎngqiú 网球
3) _____ yīnyuè 音乐
4) _____ lánqiú 篮球
5) _____ zúqiú 足球
6) _____ diànshì 电视
7) _____ pīngpāngqiú 乒乓球
8) _____ yǔmáoqiú 羽毛球

5. Refer to the Chinese and write appropriate tone marks on the following *pinyin*.

1) 来踢足球吧。   Lai ti zuqiu ba.

2) 我们去打乒乓球。   Women qu da pingpangqiu.

3) 你们喜欢不喜欢书法？   Nimen xihuan bu xihuan shufa?

4) 我不会打羽毛球。   Wo bu hui da yumaoqiu.

5) 你每天几点上学？   Ni mei tian ji dian shangxue?

6) 你会说什么语言？   Ni hui shuo shenme yuyan?

7) 你们的学校有游泳池吗？   Nimen de xuexiao you youyongchi ma?

6. Do the following exercises according to "Using in Context" on page 77 of the Student's Book.

1) Circle the sports that they mentioned.

wǎngqiú 网球   lánqiú 篮球   yǔmáoqiú 羽毛球   zúqiú 足球   pīngpāngqiú 乒乓球

2) Tell T (true) or F (false).

Mary hé Xiǎohǎi měi tiān dǎ pīngpāngqiú.
a) Mary 和 小 海 每 天 打 乒 乓 球 。 (　　)

Lìli bú huì dǎ yǔmáoqiú.
b) 丽 丽 不 会 打 羽 毛 球 。 ( )

Ann xǐhuan shūfǎ.
c) Ann 喜 欢 书 法 。 ( )

7. Use the provided radicals to form characters according to the *pinyin*.

tī	qiú	fǎ	lán

竹	求
𧾷	易
氵	监
王	去

8. Translate the English into Chinese using the provided characters.

书 每 习
踢 羽 球
学 球 足
天 毛 法

calligraphy _____

to play football _____

to study, to learn _____

badminton _____

every day _____

9. Choose the picture that best matches the Chinese.

Wǒ xǐhuan dǎ lánqiú.
1) 我 喜 欢 打 篮 球 。 ( )

A.

B.

C.

Wǒ bú huì yóuyǒng.
2) 我 不 会 游泳。 ( )

A.

B.

C.

Wǒ xuéxí diànnǎo.
3) 我 学 习 电脑。 ( )

A.

B.

C.

Wǒ měi tiān kàn diànshì.
4) 我 每 天 看 电视。 ( )

A.

B.

C.

Lái dǎ pīngpāngqiú ba.
5) 来 打 乒 乓 球 吧。 ( )

A.

B.

C.

10. Choose the correct translation.

1) We're going to the sports ground to play football.　(　　)

A.　Wǒmen qù yùndòngchǎng tī zúqiú.
我 们 去 运 动 场 踢 足 球 。

B.　Wǒmen qù yùndòngchǎng dǎ wǎngqiú.
我 们 去 运 动 场 打 网 球 。

2) My hobby is playing computer games.　(　　)

A.　Wǒ de àihào shì shàngwǎng.
我 的 爱 好 是 上 网 。

B.　Wǒ de àihào shì dǎ diànnǎo yóuxì.
我 的 爱 好 是 打 电 脑 游 戏 。

3) My brother goes to the library to read calligraphy books.　(　　)

A.　Gēge qù túshūguǎn kàn Zhōngwénshū.
哥 哥 去 图 书 馆 看 中 文 书 。

B.　Gēge qù túshūguǎn kàn shūfǎshū.
哥 哥 去 图 书 馆 看 书 法 书 。

4) We played basketball today.　(　　)

A.　Wǒmen jīntiān dǎle lánqiú.
我 们 今 天 打 了 篮 球 。

B.　Wǒmen míngtiān dǎ lánqiú.
我 们 明 天 打 篮 球 。

5) My sister cannot swim.　(　　)

A.　Jiějie bú huì yóuyǒng.
姐 姐 不 会 游 泳 。

B.　Jiějie bù yóuyǒng.
姐 姐 不 游 泳 。

11. Following the example, fill in the table below with the provided words and phrases.

pīngpāngqiú 乒乓球　　lánqiú 篮球　　zúqiú 足球　　yīnyuè 音乐　　diànshì 电视　　shū 书

diànyǐng 电影　　péngyou 朋友　　huā 花　　kè 课　　wǎngqiú 网球

kàn 看	dǎ 打	tīng 听	tī 踢
shū 书			

12. Tick the correct pictures according to what you hear.

13. Ask five friends if they like basketball, tennis, swimming, badminton, table-tennis, or football and share what you learn with the class.

14. Practice writing characters.

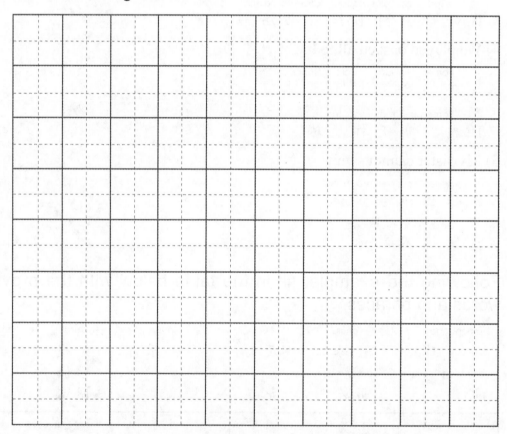

❦ 第十三课   明天有小雨 ❧

1.   Write *pinyin* next to the corresponding Chinese.

> chūntiān   chángcháng   dù   qíngtiān   fēng   yǔ   zuì   jìjié   qiūtiān   tài

晴天 _____   雨 _____   太 _____

春天 _____   常常 _____   风 _____

秋天 _____   季节 _____   最 _____

度 _____

2.   Match the English words with the Chinese and the *pinyin*.

rain	雨	jìjié
wind	风	fēng
season	最	chángcháng
spring	秋天	chūntiān
often	春天	qiūtiān
the most	季节	qíngtiān
clear day	晴天	yǔ
fall, autumn	常常	zuì

3.   Write the characters according to the *pinyin* and the number of strokes.

fēng 4 画							
míng 8 画							
yǔ 8 画							

chūn 9画									
zuì 12画									

4. Match the following Chinese with stickers from the appendix and stick them here.

jīntiān shì qíngtiān
1) 今 天 是 晴 天

wǎnshang yǒu xiǎo yǔ
2) 晚 上 有 小 雨

qiūtiān chángcháng guā fēng
3) 秋 天 常 常 刮 风

tā zuì gāo
4) 他 最 高

5. Following the example, fill in the table below with the provided words and phrases.

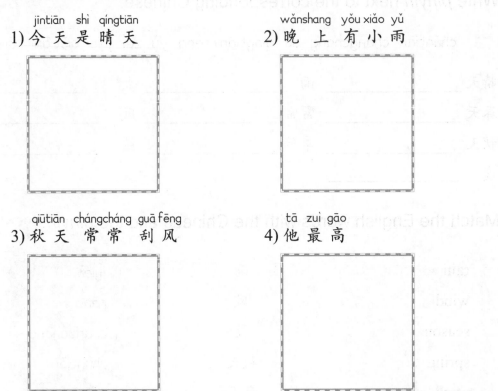

rè   xiǎo yǔ   xiàtiān   lěng   dà yǔ   qiūtiān   fēng   chūntiān   qíngtiān
热   小雨   夏天   冷   大雨   秋天   风   春天   晴天

jìjié 季节	tiānqì 天气
chūntiān 春天	

92
KUAILE HANYU

6. Complete the following phrases with the provided words. Some words may be used more than once.

hǎo	lěng	rè	gāo	duō
①好	②冷	③热	④高	⑤多

xiàtiān zuì
1) 夏天最 ____

dōngtiān zuì
2) 冬天最 ____

tā de péngyou zuì
3) 他的朋友最 ____

gēge shì wǒ jiā zuì   de rén
4) 哥哥是我家最 ____ 的人

chūntiān shì zuì   de jìjié
5) 春天是最 ____ 的季节

qiūtiān bù   yě bù
6) 秋天不 ____ 也不 ____

bàba de shū zuì
7) 爸爸的书最 ____

qiūtiān shì Běijīng zuì   de jìjié
8) 秋天是北京最 ____ 的季节

7. Refer to the Chinese and write appropriate tone marks on the following *pinyin*.

1) 今天是晴天，今天不冷。　　Jintian shi qingtian, jintian bu leng.

2) 秋天常常刮风吗？　　Qiutian changchang gua feng ma?

3) 夏天是最好的季节。　　Xiatian shi zui hao de jijie.

4) 明天有小雨，明天不热。　　Mingtian you xiao yu, mingtian bu re.

5) 今天零度，太冷了。　　Jintian ling du, tai leng le.

8. Put "√" in the appropriate blanks according to "Using in Context" on page 85 of the Student's Book.

	今天	明天	春天	夏天	秋天
冷					
不冷					
不热					
晴天					
雨					
风					

9. Use the provided radicals to form characters according to the *pinyin*.

qíng	qiū	jì	chūn	cháng

禾	青
日	火
夫	吊
屮	子

10. Translate the English into Chinese using the provided characters.

季 雨 天
晴 朋 高
小 春 友
节 最 秋

season _____ spring _____

fall, autumn _____ clear day _____

drizzle _____ the tallest _____

friend _____

11. Choose the picture that best matches the Chinese.

Jīntiān   shì qíngtiān.
1) 今 天 是 晴 天 。 (   )

A.    B.    C.

Chūntiān chángcháng yǒu fēng.
2) 春 天 常 常 有 风 。 (   )

A.    B. 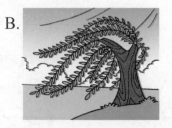   C.

Qiūtiān shì zuì hǎo de jìjié.
3) 秋天是最好的季节。（　）

A. 　　B. 　　C.

Tā chángcháng yùndòng.
4) 她常常运动。（　）

A. 　　B. 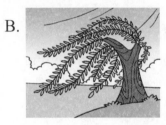　　C.

Míngtiān lěng, míngtiān yǒu dà yǔ.
5) 明天冷，明天有大雨。（　）

A. 　　B. 　　C.

12. Read the Chinese and choose the number of the appropriate picture.

①　　　②　　　③　　　④

⑤　　　⑥　　　⑦

KUAILE HANYU

Míngtiān shì qíngtiān ma?
1) 明 天 是 晴 天 吗 ？
Míngtiān yǒu dà yǔ.
明 天 有 大 雨 。 （ ）
Zuótiān lěng ma?
2) 昨 天 冷 吗 ？
Zuótiān hěn lěng, liù dù.
昨 天 很 冷 ， 六 度 。 （ ）
Běijīng de chūntiān hǎo ma?
3) 北 京 的 春 天 好 吗 ？
Běijīng de chūntiān chángcháng yǒu fēng.
北 京 的 春 天 常 常 有 风 。 （ ）
Nǎge jìjié shì zhège dìfang zuì hǎo de jìjié?
4) 哪 个 季 节 是 这 个 地 方 最 好 的 季 节 ？
Xiàtiān shì zhège dìfang zuì hǎo de jìjié.
夏 天 是 这 个 地 方 最 好 的 季 节 。 （ ）
Míngtiān qíngtiān, zuì gāo sānshíbā dù.
5) 明 天 晴 天 ， 最 高 三 十 八 度 。
Sānshíbā dù? Tài rè le.
三 十 八 度 ？ 太 热 了 。 （ ）

13. **Choose the correct translation.**

1) Autumn is the best season in Beijing. （ ）
Qiūtiān shì Běijīng zuì hǎo de jìjié.
A.秋 天 是 北 京 最 好 的 季 节 。
Qiūtiān shì zuì hǎo de jìjié zài Běijīng.
B.秋 天 是 最 好 的 季 节 在 北 京 。

2) Will it be cold tomorrow? （ ）
Míngtiān shì lěng ma?   Míngtiān lěng ma?
A.明 天 是 冷 吗 ？   B.明 天 冷 吗 ？

3) It's always windy in spring. （ ）
Chūntiān chángcháng yǒu fēng.   Chūntiān chángcháng fēng.
A.春 天 常 常 有 风 。   B.春 天 常 常 风 。

4) Whose room is the biggest? （ ）
Shéi de fángjiān zuì dà?   Shéi de fángjiān dà?
A.谁 的 房 间 最 大 ？   B.谁 的 房 间 大 ？

5) What is the highest temperature in summer? （ ）
Xiàtiān zuì gāo duōshao dù?   Xiàtiān duōshao dù?
A.夏 天 最 高 多 少 度 ？   B.夏 天 多 少 度 ？

6) The wind is extremely strong today. （ ）
Jīntiān de fēng tài dà le.   Jīntiān de fēng hěn dà.
A.今 天 的 风 太 大 了 。   B.今 天 的 风 很 大 。

14. Talk about the weather in your city. You could mention:

   1) Where you live

   2) How many seasons there are

   3) Which season is the best

   4) What it is like in spring/autumn

   5) Which season it is now

   6) If it is a sunny day today

   7) What the temperature is today

15. Practice writing characters.

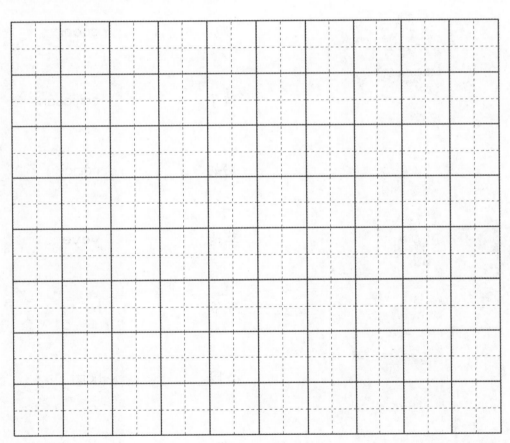

第十四课 在公园里

1. Write *pinyin* next to the corresponding Chinese.

> háizi nǎinai sànbù yéye wán gōngyuán
> pǎo cǎodì hú biān yǒu shíhou tàijíquán

跑 _____   奶奶 _____   爷爷 _____

孩子 _____   公园 _____   散步 _____

草地 _____   湖边 _____   有时候 _____

太极拳 _____   玩 _____

2. Match the pictures with the Chinese and the *pinyin*.

跑   cǎodì

孩子   tàijíquán

奶奶   nǎinai

草地   yéye

爷爷   hú

公园   háizi

湖   pǎo

太极拳   gōngyuán

3. Write the characters according to the *pinyin* and the number of strokes.

tài 4 画								
nǎi 5 画								
yuán 7 画								
cǎo 9 画								
pǎo 12 画								

4. Match the following Chinese with stickers from the appendix and stick them here.

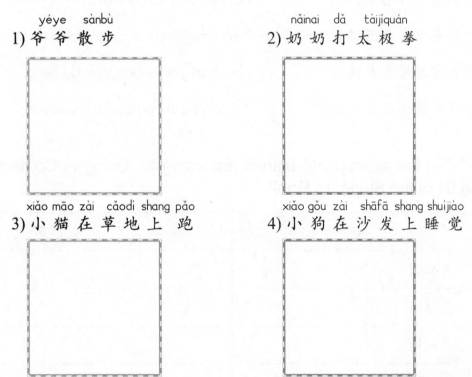

yéye sànbù
1) 爷 爷 散 步

nǎinai dǎ tàijíquán
2) 奶 奶 打 太 极 拳

xiǎo māo zài cǎodì shang pǎo
3) 小 猫 在 草 地 上 跑

xiǎo gǒu zài shāfā shang shuìjiào
4) 小 狗 在 沙 发 上 睡 觉

5. Complete the following phrases with the provided words. Some words may be used more than once.

li   shang   biān
① 里   ② 上   ③ 边

cǎodì   yǒu liǎng gè háizi
1) 草 地 ____ 有 两 个 孩 子

gōngyuán   yǒu hěn duō rén
2) 公 园 ____ 有 很 多 人

zài hú   sànbù
3) 在 湖 ＿＿＿ 散 步

zài shāfā   shuìjiào
4) 在 沙 发 ＿＿＿ 睡 觉

zài fángjiān   kàn shū
5) 在 房 间 ＿＿＿ 看 书

kètīng   yǒu shāfā
6) 客 厅 ＿＿＿ 有 沙 发

zhuōzi   yǒu hěn duō shū
7) 桌 子 ＿＿＿ 有 很 多 书

xuéshēng zài   jiàoshì   xuéxí
8) 学 生 在 教 室 ＿＿＿ 学 习

zài yùndòngchǎng   wán
9) 在 运 动 场 ＿＿＿ 玩

zài hú   yóuyǒng
10) 在 湖 ＿＿＿ 游 泳

6. Refer to the Chinese and write appropriate tone marks on the following *pinyin*.

1) 很多孩子在草地上跑。　　　　Hen duo haizi zai caodi shang pao.

2) 你常常在湖边散步吗?　　　　Ni changchang zai hu bian sanbu ma?

3) 奶奶想学习书法。　　　　　　Nainai xiang xuexi shufa.

4) 奶奶每天在公园里打太极拳。　Nǎinai mei tian zai gongyuan li da taijiquan.

5) 春天有时候有大风。　　　　　Chuntian you shihou you da feng.

6) 爷爷有时候在湖里游泳。　　　Yeye you shihou zai hu li youyong.

7. Put "√" in the appropriate blanks according to "Using in Context" on page 91 of the Student's Book.

	奶奶	爷爷	孩子
在公园			
在草地			
在湖边			
散步			
跑			
打太极拳			

8. Use the provided radicals to form characters according to the *pinyin*.

nǎi	hái	pǎo	yuán
biān	cǎo	dì	jí

女	包	土	子
口	早	乃	及
𧾷	力	艹	木
辶	元	也	亥

9. Translate the English into Chinese using the provided characters.

公 湖 常 候
草 园 孩 时
边 步 常 里
子 地 散 有

in the park _____ child _____

lakeside_____ often _____

lawn; grassland _____

to take a walk _____

sometimes _____

10. Choose the picture that best matches the Chinese.

Xiǎo gǒu zài cǎodì shang shuìjiào.
1) 小 狗 在 草 地 上 睡 觉 。 (   )

A.    B.

Yéye yǒu shíhou zài hú biān sànbù.
2) 爷 爷 有 时 候 在 湖 边 散 步 。 (   )

A.    B.

Nǎinai měi tiān zǎoshang dǎ tàijíquán.

3) 奶奶每天早上打太极拳。（　　）

A. 　　　B.

Háizi yǒu shíhou zài chuáng shang kàn shū.

4) 孩子有时候在床上看书。（　　）

A. 　　　B.

Gōngyuán li yǒu hěn duō rén.

5) 公园里有很多人。（　　）

A. 　　　B.

11. Read the Chinese and choose the number of the appropriate picture.

①

②

③

④

⑤

⑥

⑦

Nǐ jiā de hòubian shì gōngyuán ma?
1) 你家的后边是公园吗？
　Wǒ jiā de hòubian shì yí gè túshūguǎn.
　我家的后边是一个图书馆。（　　）

Bàba māma měi tiān zài nǎr sànbù?
2) 爸爸妈妈每天在哪儿散步？
　Tāmen měi tiān zài hú biān sànbù.
　他们每天在湖边散步。（　　）

Wǒ de xiǎo māo zài nǎr?
3) 我的小猫在哪儿？
　Nǐ de xiǎo māo zài shāfā shang shuìjiào.
　你的小猫在沙发上睡觉。（　　）

Nǎinai zǎoshang zài nǎr dǎ tàijíquán?
4) 奶奶早上在哪儿打太极拳？
　Nǎinai zài gōngyuán li dǎ tàijíquán.
　奶奶在公园里打太极拳。（　　）

Wǒ xiǎng kàn māma de shū.
5) 我想看妈妈的书。
　Māma de shū zài yǐzi shang.
　妈妈的书在椅子上。（　　）

12. **Choose the correct translation.**

1) Grandma takes a walk in the park every day. （　　）
　　Nǎinai měi tiān zài gōngyuán li sànbù.
　A. 奶奶每天在公园里散步。
　　Nǎinai zài gōngyuán li sànbù měi tiān.
　B. 奶奶在公园里散步每天。

2) Two kittens are on the sofa. （　　）
　　Shāfā shang yǒu liǎng zhī xiǎo māo.　　　　　Shāfā shang yǒu èr zhī xiǎo māo.
　A. 沙发上有两只小猫。　　　B. 沙发上有二只小猫。

3) Children are running on the lawn. （　　）
　　Háizi pǎo zài cǎodì.　　　　　　　　Háizi zài cǎodì shang pǎo.
　A. 孩子跑在草地。　　　　　B. 孩子在草地上跑。

4) Tables and chairs are in the room. （　　）
　　Zhuōzi hé yǐzi yǒu fángjiān li.
　A. 桌子和椅子有房间里。
　　Fángjiān li yǒu zhuōzi hé yǐzi.
　B. 房间里有桌子和椅子。

5) Sometimes when it rains heavily, we play inside. （　　）
　　Yǒu shíhou yǔ hěn dà, wǒmen zài jiā li wán.
　A. 有时候雨很大，我们在家里玩。
　　Měi tiān yǔ hěn dà, wǒmen zài jiā li wán.
　B. 每天雨很大，我们在家里玩。

6) There is a big lake next to my house.　(　　)

   Wǒ jiā zài yí gè hěn dà de hú biān.
A.我 家 在 一 个 很 大 的 湖 边 。
   Wǒ jiā yǒu yí gè hěn dà de hú.
B.我 家 有 一 个 很 大 的 湖 。

13. Talk about different kinds of sports or exercise you and your family like to do. You could mention:

1) Your family members

2) Whether any of you like sports

3) What kinds of exercises you/they usually do

4) Whether any of you play *taijiquan*

5) When and where you/they do these exercises

14. Practice writing characters.

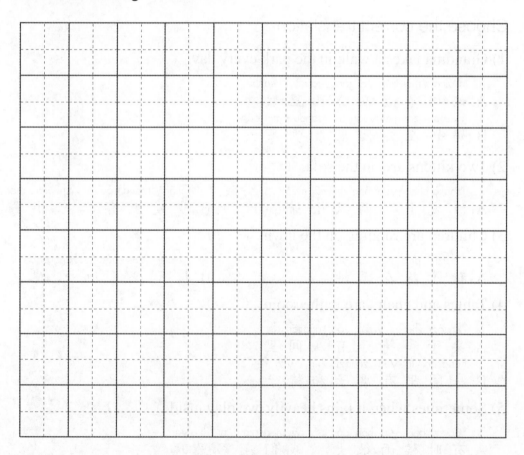

第十五课　我感冒了

1. Write *pinyin* next to the corresponding Chinese.

tóu　bìng　hóng　téng　yǎnjing　shūfu
shàng xīngqī　dùzi　gǎnmào　lèi

病 _____　头 _____　舒服 _____

红 _____　累 _____　眼睛 _____

肚子 _____　疼 _____　感冒 _____

上星期 _____

2. Match the English words with the Chinese and the *pinyin*.

eye	头	bìng
to catch a cold	病	shūfu
head	舒服	tóu
to be ill	眼睛	gǎnmào
red	红	dùzi
stomach	感冒	téng
to be well	疼	hóng
ache, pain	肚子	yǎnjing

3. Write the characters according to the *pinyin* and the number of strokes.

tóu 5 画								
dù 7 画								
fú 8 画								
bìng 10画								
téng 10画								

4. Match the following Chinese with stickers from the appendix and stick them here.

yǎnjing hěn hóng
1) 眼睛很红

dùzi bù shūfu
2) 肚子不舒服

wǒ gǎnmào le
3) 我感冒了

qù yīyuàn
4) 去医院

5. Complete the following sentences with the provided words. Some words may be used more than once.

téng	shūfu	bìng	dà
① 疼	② 舒服	③ 病	④ 大

Wǒ tóu   wǒ hěn bù
1) 我头 _____，我很不 _____。

Mèimei xiànzài qù yīyuàn,   tā dùzi
2) 妹妹现在去医院，她肚子 _____。

Nǐ shénme dìfang bù   Yào qù yīyuàn ma?
3) 你什么地方不 _____。要去医院吗？

Xiǎo gǒu   le.
4) 小狗 _____了。

Wǒ de fángjiān hěn
5) 我的房间很 _____。

Tā de yǎnjing hen   yě hěn hóng.
6) 他的眼睛很 _____，也很红。

Tā tài bù   le,   tā bù xiǎng qù sànbù.
7) 她太不 _____了，她不想去散步。

6. Put the number of the right phrases beside the pictures.

gǎnmào le	yǎnjing bù shūfu	tóu téng	dùzi téng
① 感 冒 了	② 眼 睛 不 舒 服	③ 头 疼	④ 肚 子 疼

1) _____

2) _____

3) _____

4) _____

7. Refer to the Chinese and write appropriate tone marks on the following *pinyin*.

1) 你什么地方不舒服？

Ni shenme difang bu shufu?

2) 她感冒了，头疼，肚子也很疼。

Ta ganmao le, tou teng, duzi ye hen teng.

3) 我病了，我要去医院。

Wo bing le, wo yao qu yiyuan.

4) 你眼睛很红，你不舒服吗？

Ni yanjing hen hong, ni bu shufu ma?

5) 上星期太冷了，我感冒了。

Shang xingqi tai leng le, wo ganmao le.

6) 你每天游泳累不累？

Ni mei tian youyong lei bu lei?

8. Put "√" in the appropriate blanks according to "Using in Context" on page 96 of the Student's Book.

	Míngming 明 明	wǒ 我
tī zúqiú 踢 足 球		
kàn diànyǐng 看 电 影		
dùzi bù shūfu 肚 子 不 舒 服		
yǎnjing hóng 眼 睛 红		
tóu téng 头 疼		
gǎnmào le 感 冒 了		
bìng le 病 了		
qù yīyuàn 去 医 院		

9. Use the provided radicals to form characters according to the *pinyin*.

shū	qíng	bìng	téng	hóng
yǎn	jīng	gǎn	mào	dù

舍	青	月	冬
疒	土	目	予
咸	艮	日	心
纟	丙	工	日

10. Translate the English into Chinese using the provided characters.

眼 感 服
舒 肚 疼
院 睛 医
冒 头 子

to be well _____ eye _____

to catch a cold _____ stomach _____

headache _____ hospital _____

11. Choose the picture that best matches the Chinese.

Wǒ bù tī zúqiú,   wǒ qù yīyuàn.
1) 我 不 踢 足 球 ， 我 去 医 院 。 （　　）

A.

B.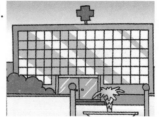

Tā jīntiān bù shūfu,   tóu téng.
2) 他 今 天 不 舒 服 ， 头 疼 。 （　　）

A.

B.

Tā de yǎnjing hěn piàoliang.
3) 她 的 眼 睛 很 漂 亮 。 （　　）

A.

B.

Bàba zài chuáng shang shuìjiào,   tā gǎnmào le.
4) 爸 爸 在 床 上 睡 觉 ， 他 感 冒 了 。 （　　）

A.

B.

Tā dùzi bù shūfu, tā bù xiǎng chī fàn.
5) 她肚子不舒服，她不想吃饭。（　）

A. 　　　B.

12. Read the Chinese and choose the number of the appropriate picture.

① ② ③

④ ⑤ ⑥

Nǐ shénme dìfang bù shūfu?
1) 你什么地方不舒服？
Wǒ dùzi téng.
我肚子疼。（　）

Yéye qù nǎr?
2) 爷爷去哪儿？
Yéye tóu téng, xiǎng qù hú biān sànbù.
爷爷头疼，想去湖边散步。（　）

Nǐ jīntiān bú shàngkè ma?
3) 你今天不上课吗？
Wǒ bú shàngkè, wǒ gǎnmào le.
我不上课，我感冒了。（　）

Wǒmen qù dǎ wǎngqiú ba.
4) 我们去打网球吧。
Wǒ bú qù, wǒ yǎnjing bù shūfu.
我不去，我眼睛不舒服。（　）

Nǐ qù kàn diànyǐng ma?
5) 你 去 看 电 影 吗 ?
Wǒ bìng le, wǒ xiǎng shuìjiào.
我 病 了 ， 我 想 睡 觉 。 (　　)

13. **Choose the correct translation.**

1) I have a stomachache. (　　)

   Wǒ yǒu dùzi téng.　　　　　　　Wǒ dùzi téng.
A. 我 有 肚 子 疼 。　　　　　　B. 我 肚 子 疼 。

2) I don't feel well. I've got a cold. (　　)

   Wǒ bù shūfu, wǒ gǎnmào.
A. 我 不 舒 服 ， 我 感 冒 。
   Wǒ bù shūfu, wǒ gǎnmào le.
B. 我 不 舒 服 ， 我 感 冒 了 。

3) He has eaten a lot this morning. His stomach is upset now. (　　)

   Jīntiān zǎoshang tā chīle hěn duō, xiànzài tā de dùzi bù shūfu.
A. 今 天 早 上 他 吃 了 很 多 ， 现 在 他 的 肚 子 不 舒 服 。
   Jīntiān zǎoshang tā hěn duō chī le, xiànzài tā de dùzi bù shūfu.
B. 今 天 早 上 他 很 多 吃 了 ， 现 在 他 的 肚 子 不 舒 服 。

4) I have a bad headache. I want to go to the hospital. (　　)

   Wǒ yǒu hěn tóu téng, wǒ yào qù yīyuàn.
A. 我 有 很 头 疼 ， 我 要 去 医 院 。
   Wǒ tóu hěn téng, wǒ yào qù yīyuàn.
B. 我 头 很 疼 ， 我 要 去 医 院 。

5) He went swimming in the lake last week, and he caught a cold. (　　)

   Tā shàng xīngqī zài hú li yóuyǒng, gǎnmào le.
A. 他 上 星 期 在 湖 里 游 泳 ， 感 冒 了 。
   Tā měi tiān zài hú li yóuyǒng, gǎnmào le.
B. 他 每 天 在 湖 里 游 泳 ， 感 冒 了 。

6) I had many lessons today. I'm too tired now. (　　)

   Wǒ jīntiān shàngle hěn duō kè, xiànzài tài lèi le.
A. 我 今 天 上 了 很 多 课 ， 现 在 太 累 了 。
   Wǒ jīntiān shàngle hěn duō kè, wǒ lèi bú lèi.
B. 我 今 天 上 了 很 多 课 ， 我 累 不 累 。

14. **Talk about a time when your or someone else was sick. You could mention:**

1) When it was

2) What happened to you/him/her

3) How you/he/she felt

4) Whether you/he/she went to hospital

5) Whether you/he/she missed any class/activity

15. Use the provided radicals to form characters as the example.

目　眼 _____

月　_____

疒　_____

16. Practice writing characters.

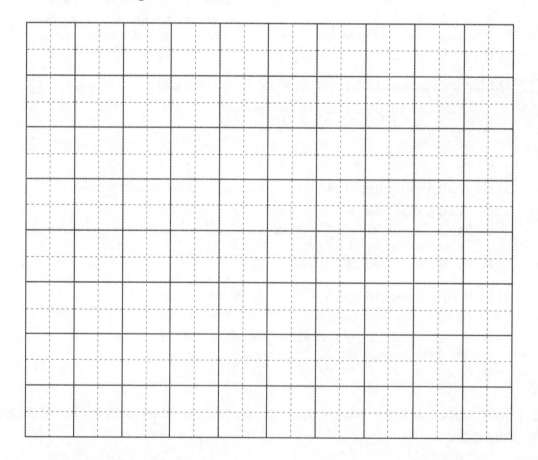

第十六课   我喜欢你衣服的颜色

1.   Write *pinyin* next to the corresponding Chinese.

> yánsè kùzi báisè xié hóngsè xīn huángsè
> lánsè chuān liúxíng yuè lái yuè hēisè

新 _____   白色 _____   蓝色 _____

鞋 _____   红色 _____   颜色 _____

穿 _____   裤子 _____   流行 _____

黑色 _____   黄色 _____   越来越 _____

2.   Match the English words with the Chinese and the *pinyin*.

red	蓝色	liúxíng
blue	颜色	yánsè
white	红色	kùzi
colour	新	lánsè
shoes	裤子	hóngsè
popular	白色	xīn
trousers	穿	báisè
new	鞋	xié
more and more	流行	yuè lái yuè
to wear, to put on	越来越	chuān

3.   Write the characters according to the *pinyin* and the number of strokes.

hóng 6 画											

sè 6画									
dòng 6画									
yùn 7画									
xīn 13画									

4. Match the following Chinese with stickers from the appendix and stick them here.

hěn duō yánsè
1) 很 多 颜 色

hóngsè de píngguǒ
2) 红 色 的 苹 果

lánsè de kùzi
3) 蓝 色 的 裤 子

báisè de yīfu
4) 白 色 的 衣 服

rén yuè lái yuè duō
5) 人 越 来 越 多

xīn xié
6) 新 鞋

5. Following the example, fill in the table below with the provided words and phrases.

báisè 白色　　xié 鞋　　piàoliang 漂亮　　kùzi 裤子　　yǒu yìsi 有意思　　rè 热　　yīfu 衣服

róngyì 容易　　hóngsè 红色　　duō 多　　nán 难　　yùndòngxié 运动鞋　　xǐhuan 喜欢　　hǎo 好

liúxíng 流行　　dà 大　　gāo 高　　lánsè 蓝色　　téng 疼　　lěng 冷

yánsè 颜色	chuān 穿	yuè lái yuè 越来越
báisè 白色		

6. Complete the following phrases with the provided words. Some words may be used more than once.

yuè lái yuè ① 越来越	liúxíng ② 流行	chuān ③ 穿

Hànyǔ　　hǎo
1) 汉语 ＿＿＿ 好

jīntiān　　shénme yánsè de yīfu
2) 今天 ＿＿＿ 什么颜色的衣服

xiànzài　　hóngsè
3) 现在 ＿＿＿ 红色

wǒ　　xǐhuan lánqiú
4) 我 ＿＿＿ 喜欢篮球

tiānqì　　rè
5) 天气 ＿＿＿ 热

wǒmen　　báisè de yùndòngxié
6) 我们 ＿＿＿ 白色的运动鞋

jīnnián　　shénme yánsè
7) 今年 ＿＿＿ 什么颜色

tā bù xǐhuan　　hóngsè de kùzi
8) 她不喜欢 ＿＿＿ 红色的裤子

dìdi bù xiǎng　　huángsè de máoyī
9) 弟弟不想 ＿＿＿ 黄色的毛衣

nà jiàn hēisè de máoyī　　duǎn
10) 那件黑色的毛衣 ＿＿＿ 短

7. Refer to the Chinese and write appropriate tone marks on the following *pinyin*.

1) 你最喜欢什么颜色？

Ni zui xihuan shenme yanse?

2) 这是今年最流行的运动鞋。

   Zhe shi jinnian zui liuxing de yundongxie.

3) 他们穿白色的衣服，我们穿蓝色的衣服。

   Tamen chuan baise de yifu, women chuan lanse de yifu.

4) 我们的汉语课越来越有意思。

   Women de Hanyuke yue lai yue you yisi.

5) 我的新朋友越来越多。

   Wo de xin pengyou yue lai yue duo.

6) 这件黄色的毛衣太长了。

   Zhe jian huangse de maoyi tai chang le.

7) 他有时候穿黑色的运动鞋。

   Ta you shihou chuan heise de yundongxie.

8. Tell T (true) or F (false) according to "Using in Context" on page 105 of the Student's Book.

   Ann de   yifu   hěn piàoliang.
   1) Ann 的 衣 服 很 漂 亮 。 (   )
   Jīntiān wǒmen tī zúqiú.
   2) 今 天 我 们 踢 足 球 。 (   )
   Wǒmen bān chuān hóngsè de yùndòngxié.
   3) 我 们 班 穿 红 色 的 运 动 鞋 。 (   )
   Tāmen bān chuān báisè de yùndòngxié.
   4) 他 们 班 穿 白 色 的 运 动 鞋 。 (   )
   Wǒmen sì diǎn kāishǐ tī zúqiú,   yuè lái yuè duō de rén lái kàn.
   5) 我 们 四 点 开 始 踢 足 球 ，越 来 越 多 的 人 来 看 。 (   )

9. Use the provided radicals to form characters according to the *pinyin*.

hóng	kù	xié	liú
yuè	xīn	lán	chuān

纟	库	衤	斤
革	㐬	氵	工
走	戈	亲	牙
艹	圭	穴	监

10. Translate the English into Chinese using the provided characters.

衣	颜	蓝
来	流	越
色	红	子
裤	行	服

colour ＿＿＿＿＿＿ red ＿＿＿＿＿＿＿

clothes ＿＿＿＿＿ blue ＿＿＿＿＿＿

popular ＿＿＿＿＿ trousers ＿＿＿＿＿

more and more ＿＿＿＿＿＿＿＿＿＿

11. Choose the picture that best matches the Chinese.

Jīntiān chuān báisè de yùndòngxié.
1) 今 天 穿 白 色 的 运 动 鞋 。 （　　）

A. 　　　　B.

Zuótiān wǒ mǎile xīn xié.
2) 昨 天 我 买 了 新 鞋 。 （　　）

A. 　　　　B.

Huāyuán li de huā yuè lái yuè duō.
3) 花 园 里 的 花 越 来 越 多 。 （　　）

A. 　　　　B.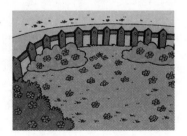

Shāfā shang yǒu sān jiàn hóng yifu.
4) 沙发上有三件红衣服。（　　）

A.    B.

12. Read the Chinese and choose the number of the appropriate picture.

 ①    ②   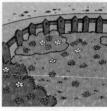 ③

 ④    ⑤    ⑥

Jiějie zuì xǐhuan shénme yánsè?
1) 姐姐最喜欢什么颜色？
Jiějie zuì xǐhuan hóngsè.
姐姐最喜欢红色。（　　）

Huāyuán li de huā shì shénme yánsè de?
2) 花园里的花是什么颜色的？
Hěn duō yánsè.
很多颜色。（　　）

Nǐ jīntiān chuān zhè jiàn yifu ma?
3) 你今天穿这件衣服吗？
Wǒ jīntiān chuān báisè de yifu, bù chuān lánsè de yifu.
我今天穿白色的衣服，不穿蓝色的衣服。（　　）

Zhè shì gēge de yùndòngxié ma?
4) 这是哥哥的运动鞋吗？
Bú shì, zhè shì wǒ de yùndòngxié.
不是，这是我的运动鞋。（　　）

Zuótiān māma mǎile yí jiàn lánsè de yifu.
5) 昨天妈妈买了一件蓝色的衣服。
Zhè shì jīnnián zuì liúxíng de yánsè.
这是今年最流行的颜色。（　　）

13. **Choose the correct translation.**

1) What is your favourite colour? (　　)

A. 你喜欢什么颜色最好？
Nǐ xǐhuan shénme yánsè zuì hǎo?

B. 你最喜欢什么颜色？
Nǐ zuì xǐhuan shénme yánsè?

2) I like the colour of his clothing. (　　)

A. 我喜欢他衣服的颜色。
Wǒ xǐhuan tā yīfu de yánsè.

B. 我喜欢颜色他的衣服。
Wǒ xǐhuan yánsè tā de yīfu.

3) Our Chinese lesson is getting more and more interesting. (　　)

A. 我们的汉语课越来越有意思。
Wǒmen de Hànyǔkè yuè lái yuè yǒu yìsi.

B. 我们的汉语课最有意思。
Wǒmen de Hànyǔkè zuì yǒu yìsi.

4) My elder brother likes Beijing more and more. (　　)

A. 我哥哥喜欢北京越来越好。
Wǒ gēge xǐhuan Běijīng yuè lái yuè hǎo.

B. 我哥哥越来越喜欢北京。
Wǒ gēge yuèláiyuè xǐhuan Běijīng.

5) I bought a yellow sweater today. (　　)

A. 我今天买了一件新毛衣。
Wǒ jīntiān mǎile yí jiàn xīn máoyī.

B. 我今天买了一件黄毛衣。
Wǒ jīntiān mǎile yí jiàn huáng máoyī.

6) What's the most popular colour this year? (　　)

A. 今年最流行的颜色是什么？
Jīnnián zuì liúxíng de yánsè shì shénme?

B. 今年最流行的衣服是什么？
Jīnnián zuì liúxíng de yīfu shì shénme?

14. Colour the following pictures, and then describe how many colours you used.

15. Talk about the popular fashion trends in your district/school. You could mention:

1) What kinds of clothes people are wearing

2) What colours are popular

3) Your personal opinions about these trends

4) Your favourite clothes and colours

5) What you're going to wear tomorrow

16. Practice writing characters.

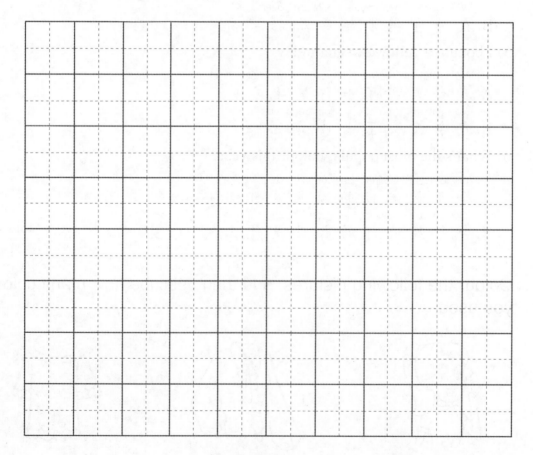

第十七课 我跟爸爸一样喜欢京剧

1. Write *pinyin* next to the corresponding Chinese.

> jīngjù lǎoniánrén piào biǎoyǎn zhāng
> jùyuàn gāoxìng chàngpiàn niánqīngrén

剧院 _____   京剧 _____   表演 _____

票 _____   高兴 _____   唱片 _____

张 _____   年轻人 _____   老年人 _____

2. Match the pictures with the Chinese and the *pinyin*.

老年人   jùyuàn

年轻人   jīngjù

高兴   lǎoniánrén

剧院   gāoxìng

京剧   biǎoyǎn

唱片   niánqīngrén

票   chàngpiàn

表演   piào

3. Write the characters according to the *pinyin* and the number of strokes.

lǎo 6 画								
xìng 6 画								
jù 10 画								
chàng 11 画								
piào 11 画								

4. Match the following Chinese with stickers from the appendix and stick them here.

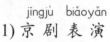

jīngjù biǎoyǎn
1) 京 剧 表 演

niánqīngrén mǎi yīnyuè chàngpiàn
2) 年 轻 人 买 音 乐 唱 片

lǎoniánrén mǎi jīngjùpiào
3) 老 年 人 买 京 剧 票

tā gāoxìng, tā bù gāoxìng
4) 她 高 兴 , 他 不 高 兴

5. Following the example, fill in the table below with the provided words and phrases.

jùyuàn 剧 院	jīngjù 京 剧	biǎoyǎn 表 演	chàngpiàn 唱 片	diànyǐngyuàn 电 影 院	diànyǐngpiào 电 影 票
diànyǐng 电 影	huǒchēzhàn 火 车 站	diànshì 电 视	yīfu 衣 服	yīyuàn 医 院	jīchǎng 机 场

| | jiàoshì 教室 | diànnǎo 电脑 | diànshì 电视 | jiémù 节目 | zìxíngchē 自行车 | huā 花 | shū 书 | yīnyuè 音乐 |

	qù 去	kàn 看	tīng 听	mǎi 买
jùyuàn 剧院				

6. Complete the following phrases with the provided words. Some words may be used more than once.

> yíyàng   bǐ   méiyǒu
> ① 一样   ② 比   ③ 没有

wǒ gēn bàba   xǐhuan jīngjù
1) 我 跟 爸 爸 _____ 喜 欢 京 剧

jīntiān   zuótiān lěng
2) 今 天 _____ 昨 天 冷

gēge   wǒ gāo
3) 哥 哥 _____ 我 高

Fǎyǔ   Hànyǔ nán
4) 法 语 _____ 汉 语 难

tā de zìxíngchē gēn wǒ de zìxíngchē bù
5) 他 的 自 行 车 跟 我 的 自 行 车 不 _____

diànshì   diànyǐng hǎokàn
6) 电 视 _____ 电 影 好 看

zhè jiàn yīfu   nà jiàn piàoliang
7) 这 件 衣 服 _____ 那 件 漂 亮

tā gēn wǒ   xǐhuan Hànyǔkè
8) 他 跟 我 _____ 喜 欢 汉 语 课

zhè zhāng chàngpiàn gēn nà zhāng chàngpiàn
9) 这 张 唱 片 跟 那 张 唱 片 _____

7. Refer to the Chinese and write appropriate tone marks on the following *pinyin*.

1) 今天晚上他们去剧院看表演。

Jintian wanshang tamen qu juyuan kan biaoyan.

2) 爸爸跟妈妈一样喜欢音乐唱片。

Baba gen mama yiyang xihuan yinyue changpian.

3) 电影票没有京剧票贵。

Dianyingpiao meiyou jingjupiao gui.

4) 年轻人跟老年人一样喜欢京剧吗?

Nianqingren gen laonianren yiyang xihuan jingju ma?

5) 你要买几张京剧票?

Nǐ yào mǎi jǐ zhāng jīngjùpiào?

8. Put "✓" in the appropriate blanks according to "Using in Context" on page 112 of the Student's Book.

	bàba 爸爸	wǒ 我
xǐhuan jīngjù 喜 欢 京 剧		
xīngqīliù qù kàn jīngjù 星 期 六 去 看 京 剧		
yǒu piào 有 票		
gāoxìng 高 兴		
kāichē 开 车		

9. Use the provided radicals to form characters according to the *pinyin*.

jù	chàng	yuàn	zhāng

piào	qīng	yǎn

氵	刂	居	示	弓	口	完
西	圣	长	阝	昌	车	寅

10. Translate the English into Chinese using the provided characters.

高	年	片
院	剧	老
轻	表	人
演	兴	唱

theatre _____   record _____

performance _____   happy, glad _____

young people, younger generation _____

old people, older generation _____

11. Choose the picture that best matches the Chinese.

Wǒ hé bàba qù jùyuàn kàn biǎoyǎn.
1) 我 和 爸爸 去 剧 院 看 表 演 。 (　　)

A.

B.

Tā méiyǒu piào, tā bù gāoxìng.
2) 他 没 有 票 ， 他 不 高 兴 。 (　　)

A.

B.

Tā xiǎng zuò jīngjù yǎnyuán.
3) 她 想 做 京 剧 演 员 。 (　　)

A.

B.

Niánqīngrén bù xǐhuan kàn zhège diànyǐng.
4) 年 轻 人 不 喜 欢 看 这 个 电 影 。 (　　)

A.

B.

Wǒ gēn péngyou yíyàng xǐhuan dǎ tàijíquán.

5) 我 跟 朋 友 一 样 喜 欢 打 太 极 拳 。 （　　）

A. 　　　B.

12. **Read the Chinese and choose the number of the appropriate picture.**

① ② ③ ④

⑤ ⑥ ⑦

Nǐ yě xǐhuan kàn jīngjù ma?

1) 你 也 喜 欢 看 京 剧 吗 ？

Wǒ bù xǐhuan kàn jīngjù, wǒ xǐhuan kàn diànyǐng.

我 不 喜 欢 看 京 剧 ， 我 喜 欢 看 电 影 。 （　　）

Yéye xiǎng qù kàn jīngjù, tā yǒu piào ma?

2) 爷 爷 想 去 看 京 剧 ， 他 有 票 吗 ？

Wǒmen zuótiān mǎile piào, wǒ yě qù.

我 们 昨 天 买 了 票 ， 我 也 去 。 （　　）

Lǎoniánrén xǐhuan tàijíquán, niánqīngrén yě xǐhuan tàijíquán ma?

3) 老 年 人 喜 欢 太 极 拳 ， 年 轻 人 也 喜 欢 太 极 拳 吗 ？

Niánqīngrén gēn lǎoniánrén yíyàng xǐhuan tàijíquán.

年 轻 人 跟 老 年 人 一 样 喜 欢 太 极 拳 。 （　　）

Wǒ qù jùyuàn mǎi piào, piào guì ma?

4) 我 去 剧 院 买 票 ， 票 贵 吗 ？

Piào bú guì, hěn piányi.

票 不 贵 ， 很 便 宜 。 （　　）

Tā xiǎng zuò jīngjù yǎnyuán ba?

5) 她 想 做 京 剧 演 员 吧 ？

Tā hěn xǐhuan jīngjù biǎoyǎn, xiǎng zuò jīngjù yǎnyuán.

她 很 喜 欢 京 剧 表 演 ， 想 做 京 剧 演 员 。 （　　）

13. **Choose the correct translation.**

1) I'll go to the theatre to buy tickets tomorrow. (　　)

   Míngtiān wǒ qù jùyuàn mǎi piào.
   A. 明天我去剧院买票。
   Wǒ qù jùyuàn mǎi piào míngtiān.
   B. 我去剧院买票明天。

2) We are going to see that new movie. My younger brother is very happy. (　　)

   Wǒmen qù kàn xīn diànyǐng, wǒ dìdi hěn gāoxìng.
   A. 我们去看新电影，我弟弟很高兴。
   Wǒmen qù kàn nàge diànyǐng, wǒ dìdi hěn gāoxìng.
   B. 我们去看那个电影，我弟弟很高兴。

3) He likes Chinese as much as I do. (　　)

   Tā gēn wǒ yíyàng xǐhuan Zhōngwén.
   A. 他跟我一样喜欢中文。
   Tā xǐhuan Zhōngwén yíyàng gēn wǒ.
   B. 他喜欢中文一样跟我。

4) Do you want to see the movie? I've bought two tickets. (　　)

   Nǐ xiǎng qù kàn diànyǐng ma? Wǒ mǎile liǎng piào.
   A. 你想去看电影吗？我买了两票。
   Nǐ xiǎng qù kàn diànyǐng ma? Wǒ mǎile liǎng zhāng piào.
   B. 你想去看电影吗？我买了两张票。

14. **Talk about an opera or a movie you've seen lately. You could mention:**

1) What you saw and its name

2) How you enjoyed it

3) Whom you often go to see these shows with and why

4) Whether you're going to see another opera or movie soon

5) Whether you've already got a ticket for the next show

15. Practice writing characters.

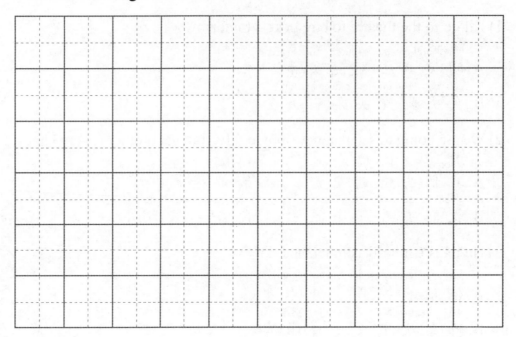

第十八课 音乐会快要开始了

1. Write *pinyin* next to the corresponding Chinese.

| tīng | dìng piào | huí | dōu | kuàiyào | xiūxi | děng | yīnyuèhuì |

快要 _____   都 _____   听 _____

订票 _____   休息 _____   等 _____

回 _____   音乐会 _____

2. Match the English words with the Chinese and the *pinyin*.

concert	听	huí
to be about to, to be going to	回	yīnyuèhuì
all	音乐会	dōu
to listen	等	kuàiyào
to reserve a ticket	订票	děng
to have a rest, to have a break	都	dìng piào
to return	快要	xiūxi
to wait for	休息	tīng

3. Write the characters according to the *pinyin* and the number of strokes.

dìng 4 画							
huí 6 画							
xiū 6 画							
kuài 7 画							
tīng 7 画							

4. Match the following Chinese with stickers from the appendix and stick them here.

diànyǐng kuàiyào kāishǐ le
1) 电 影 快 要 开 始 了

bā diǎn qù tīng yīnyuèhuì
2) 八 点 去 听 音 乐 会

shàngwǎng dìng piào
3) 上 网 订 票

měi tiān dōu yǒu zuòyè
4) 每 天 都 有 作 业

5. Complete the following phrases with the provided words. Some words may be used more than once.

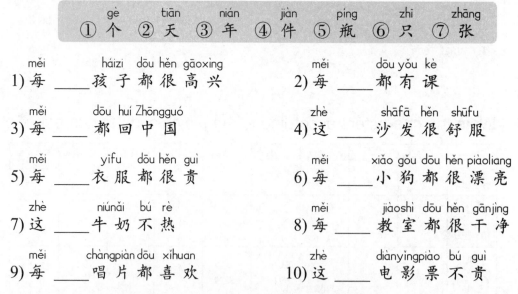

gè	tiān	nián	jiàn	píng	zhī	zhāng
① 个	② 天	③ 年	④ 件	⑤ 瓶	⑥ 只	⑦ 张

měi   háizi dōu hěn gāoxìng
1) 每 ＿＿ 孩 子 都 很 高 兴

měi   dōu yǒu kè
2) 每 ＿＿ 都 有 课

měi   dōu huí Zhōngguó
3) 每 ＿＿ 都 回 中 国

zhè   shāfā hěn shūfu
4) 这 ＿＿ 沙 发 很 舒 服

měi   yīfu dōu hěn guì
5) 每 ＿＿ 衣 服 都 很 贵

měi   xiǎo gǒu dōu hěn piàoliang
6) 每 ＿＿ 小 狗 都 很 漂 亮

zhè   niúnǎi bú rè
7) 这 ＿＿ 牛 奶 不 热

měi   jiàoshì dōu hěn gānjìng
8) 每 ＿＿ 教 室 都 很 干 净

měi   chàngpiàn dōu xǐhuan
9) 每 ＿＿ 唱 片 都 喜 欢

zhè   diànyǐngpiào bú guì
10) 这 ＿＿ 电 影 票 不 贵

6. Refer to the Chinese and write appropriate tone marks on the following pinyin.

1) 音乐会快要开始了，我们走吧。

Yinyuehui kuaiyao kaishi le, women zou ba.

2) 你现在回家吗?

Ni xianzai hui jia ma?

3) 星期六有京剧表演，我要上网订票。

Xingqiliu you jingju biaoyan, wo yao shangwang ding piao.

4) 每个人都很喜欢中国音乐。

Mei ge ren dou hen xihuan Zhongguo yinyue.

5) 我在剧院等你，好吗?

Wo zai juyuan deng ni, hao ma?

7. **Choose the correct answers according to "Using in Context" on page 119 of Student's Book.**

Jīntiān   xīngqī jǐ?

1) 今 天 星 期 几 ? (   )   A. 星 期 日 (xīngqīrì)   B. 星 期 六 (xīngqīliù)

Jīntiān yǒu kè ma?

2) 今 天 有 课 吗 ? (   )   A. 有 (yǒu)   B. 没 有 (méiyǒu)

Yīnyuèhuì jǐ diǎn kāishǐ?

3) 音 乐 会 几 点 开 始 ? (   )   A. 八 点 (bā diǎn)   B. 七 点 (qī diǎn)

Měi zhāng CD dōu hěn hǎo ma?

4) 每 张 CD 都 很 好 吗 ? (   )   A. 一 张 很 好 (yì zhāng hěn hǎo)   B. 都 很 好 (dōu hěn hǎo)

Tā mǎile shénme?

5) 他 买 了 什 么 ? (   )

Zhōngguó yīnyuè de CD   yīnyuèhuì de piào

A. 中 国 音 乐 的 CD   B. 音 乐 会 的 票

8. **Use the provided radicals to form characters according to the _pinyin_.**

yīn	dōu	huì	kuài	huí
tīng	piào	yào	xiū	děng

立	阝	人	夬	者	斤
忄	日	口	女	西	云
亻	示	口	木	竹	寺

9. Translate the English into Chinese using the provided characters.

回　音　休　乐
订　家　要　息
快　会　票　开
每　始　天　年

to have a rest, to have a break _____

concert _____ to go home _____

to reserve a ticket _____

to be about to, to be going to _____

to begin, to start _____

every day _____ every year _____

10. Choose the picture that best matches the Chinese.

Bǐsài kuàiyào kāishǐ le.
1) 比赛快要开始了。（　）

A.

B.

Wǒ bú qù Yīngguó,　wǒ huí Zhōngguó.
2) 我不去英国，我回中国。（　）

A.

B.

Jīngjù biǎoyǎn wǎnshang bā diǎn kāishǐ.
3) 京剧表演晚上八点开始。 ( )

A.    B.

Bàba méiyǒu gōngzuò, tā zài xiūxi.
4) 爸爸没有工作，他在休息。 ( )

A.    B.

Wǒ bú qù mǎi piào, wǒ shàngwǎng dìng piào.
5) 我不去买票，我上网订票。 ( )

A.    B.

KUAILE HANYU

11. Read the Chinese and choose the number of the appropriate picture.

① ② ③
④ ⑤ ⑥

Nǐmen bān qù tǐyùguǎn kàn tàijíquán biǎoyǎn ma?
1) 你们班去体育馆看太极拳表演吗？
Wǒmen bān qù.
我们班去。 ( )

Nǐ xīngqījǐ yǒu Hànyǔkè?
2) 你星期几有汉语课？
Wǒ měi tiān dōu yǒu Hànyǔkè.
我每天都有汉语课。 ( )

Nǐmen zěnme dìng piào?
3) 你们怎么订票？
Wǒ shàngwǎng dìng piào.
我上网订票。 ( )

Diànyǐng kāishǐ le ma?
4) 电影开始了吗？
Diànyǐng kuàiyào kāishǐ le.
电影快要开始了。 ( )

12. Choose the correct translation.

1) We all want to go to China. ( )
Wǒmen dōu xiǎng qù Zhōngguó.
A. 我们都想去中国。
Dōu wǒmen xiǎng qù Zhōngguó.
B. 都我们想去中国。

2) The music lesson is about to begin. (　　)

Yínyuèhuì kuàiyào kāishǐ le.
A. 音乐会快要开始了。

Yínyuèkè kuàiyào kāishǐ le.
B. 音乐课快要开始了。

3) All the rooms are very clean. (　　)

Dōu fángjiān hěn gānjìng.
A. 都房间很干净。

Měi gè fángjiān dōu hěn gānjìng.
B. 每个房间都很干净。

4) Let's go home to rest. (　　)

Wǒmen huí jiā xiūxi ba.
A. 我们回家休息吧。

Wǒmen huí jiā yǒu xiūxi.
B. 我们回家有休息。

5) Mom waits for me at home. (　　)

Wǒ zài jiā děng māma.
A. 我在家等妈妈。

Māma zài jiā děng wǒ.
B. 妈妈在家等我。

13. Talk about a concert, a movie, or a show your family enjoys. You could mention:

1) What form of entertainment you all enjoy together

2) How often you and your family watch or go see this entertainment

3) The last concert/movie/show you watched together

4) Where you got the ticket, if you needed one

5) Whether or not you all enjoyed it

14. Use the provided radicals to form characters as the example.

亻	休 _____
口	_____
讠	_____

15. Practice writing characters.

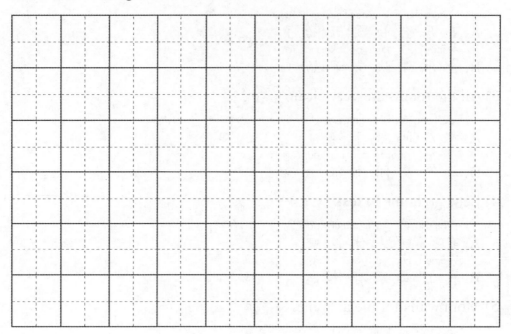

KUAILE HANYU

第十九课   我跟你一起看

1. Write *pinyin* next to the corresponding Chinese.

hǎo   tiānqì   yùbào   xià yí gè   xīnwén   bǐsài
yìqǐ   mǎshàng   shíhou   jiàoyù   kàn shū

新闻 _____   预报 _____   一起 _____

天气 _____   下一个 _____   时候 _____

看书 _____   比赛 _____   好 _____

教育 _____   马上 _____

2. Match the English words with the Chinese and the *pinyin*.

education	好	shíhou
weather	看书	xià yí gè
immediately	一起	hǎo
forecast	预报	jiàoyù
next	马上	kàn shū
together	比赛	yùbào
time	教育	tiānqì
match, competition	新闻	bǐsài
reading; to read a book	下一个	mǎshàng
news	天气	yìqǐ
okay, all right	时候	xīnwén

3. Write the characters according to the *pinyin* and the number of strokes.

qì 4 画											
bào 7 画											
shí 7 画											
tǐ 7 画											
yù 8 画											

4. Match the following Chinese with stickers from the appendix and stick them here.

1) kàn diànshì jiémù
看 电 视 节 目

2) kàn jīngjù
看 京 剧

3) dǎ lánqiú
打 篮 球

4) zúqiú bǐsài
足 球 比 赛

5) kàn shū
看 书

5. Complete the following sentences with the provided words. Some words may be used more than once.

北京电视台			
17:00	18:00	20:30	20:45
tǐyù jiémù ① 体 育 节 目	diànyǐng ② 电 影	xīnwén ③ 新 闻	tiānqì yùbào ④ 天 气 预 报
20:50	21:30	22:30	
jiàoyù jiémù ⑤ 教 育 节 目	jīngjù ⑥ 京 剧	kàn shū ⑦ 看 书	

Bàba wǎnshang bā diǎn bàn kàn diànshì, tā kàn
1) 爸 爸 晚 上 八 点 半 看 电 视 ， 他 看 _____ 。

Māma wǎnshang jiǔ diǎn bàn kàn
2) 妈 妈 晚 上 九 点 半 看 _____ 。

Wǒ xiàwǔ wǔ diǎn kàn
3) 我 下 午 五 点 看 _____ 。

Jiějie wǎnshang liù diǎn kàn diànshì, tā kàn
4) 姐 姐 晚 上 六 点 看 电 视 ， 她 看 _____ 。

Nǎinai wǎnshang bā diǎn sìshíwǔ kàn
5) 奶 奶 晚 上 八 点 四 十 五 看 _____ 。

Gēge wǎnshang bā diǎn wǔshí kàn
6) 哥 哥 晚 上 八 点 五 十 看 _____ 。

Wǒ xīngqīwǔ wǎnshang shí diǎn bàn
7) 我 星 期 五 晚 上 十 点 半 _____ 。

6. Refer to the Chinese and write appropriate tone marks on the following *pinyin*.

1) 我喜欢看天气预报。

Wo xihuan kan tianqi yubao.

2) 体育节目五点半开始。

Tiyu jiemu wu dian ban kaishi.

3) 我常常看篮球比赛。

Wo changchang kan lanqiu bisai.

4) 爸爸和妈妈一起看京剧。

Baba he mama yiqi kan jingju.

5) 我每天晚上都看书。

Wo mei tian wanshang dou kan shu.

6) 做饭的电视节目马上开始。

Zuo fan de dianshi jiemu mashang kaishi.

7. Choose the correct answers according to "Using in Context" on page 129 of the Student's Book.

Jīntiān wǎnshang yǒu shénme diànshì jiémù?
1) 今天晚上有什么电视节目？（   ）
   xīnwén jiémù hé tǐyù jiémù
   A. 新闻节目和体育节目
   lìshǐ jiémù hé tǐyù jiémù
   B. 历史节目和体育节目
Xǐhuan kàn tiānqì yùbào ma?
2) 喜欢看天气预报吗？（   ）
   xǐhuan   bù xǐhuan
   A. 喜欢   B. 不喜欢
Xiǎng kàn shénme jiémù?
3) 想看什么节目？（   ）
   xīnwén jiémù   tǐyù jiémù
   A. 新闻节目   B. 体育节目
Lánqiú bǐsài shénme shíhou kāishǐ?
4) 篮球比赛什么时候开始？（   ）
   bā diǎn   bā diǎn bàn
   A. 八点   B. 八点半
Wǒ hé bàba xǐhuan kàn shénme bǐsài?
5) 我和爸爸喜欢看什么比赛？（   ）
   yǔmáoqiú   zúqiú
   A. 羽毛球   B. 足球
Māma xǐhuan kàn shénme jiémù?
6) 妈妈喜欢看什么节目？（   ）
   jiàoyù jiémù   lánqiú bǐsài
   A. 教育节目   B. 篮球比赛
Gēge xǐhuan kàn shénme?
7) 哥哥喜欢看什么？（   ）
   diànshì   shū
   A. 电视   B. 书

8. Use the provided radicals to form characters according to the pinyin.

jiào	yù	hǎo	qǐ

予	攵
己	子
女	孝
页	走

9. Translate the English into Chinese using the provided characters.

比　育　天
报　教　新
时　赛　预
闻　气　候

match, competition _____

time _____   forecast _____

weather _____   education _____

news _____

10. Choose the picture that best matches the Chinese.

Wǒ xǐhuan kàn diànshì jiémù.
1) 我 喜 欢 看 电 视 节 目 。(   )

A.

B.

Wǒ gēn bàba yìqǐ kàn zúqiú bǐsài.
2) 我 跟 爸 爸 一 起 看 足 球 比 赛 。(   )

A.

B.

Māma xǐhuan kàn tiānqì yùbào.
3) 妈 妈 喜 欢 看 天 气 预 报 。(   )

A.

B.

Yǔmáoqiú bǐsài jiǔ diǎn kāishǐ.

4) 羽毛球比赛九点开始。（   ）

A.

B.

Jiějie cháng gēn māma yìqǐ kàn lìshǐ jiémù.

5) 姐姐常跟妈妈一起看历史节目。（   ）

A.

B.

Gēge měi tiān wǎnshang dōu kàn shū.

6) 哥哥每天晚上都看书。（   ）

A.

B.

11. Read the Chinese and choose the number of the appropriate picture.

①   ②   ③

④　⑤　⑥

⑦　⑧

Nǐ xǐhuan kàn shénme diànshì jiémù?
1) 你 喜 欢 看 什 么 电 视 节 目？
Wǒ xǐhuan kàn xīnwén.
我 喜 欢 看 新 闻。（　）

Lánqiú bǐsài shénme shíhou kāishǐ?
2) 篮 球 比 赛 什 么 时 候 开 始？
Bā diǎn kāishǐ.
八 点 开 始。（　）

Nǐ shénme shíhou qù mǎi jīngjùpiào?
3) 你 什 么 时 候 去 买 京 剧 票？
Wǒ xiàwǔ sì diǎn qù.
我 下 午 四 点 去。（　）

Nǐ cháng kàn jiàoyù jiémù ma?
4) 你 常 看 教 育 节 目 吗？
Wǒ xǐhuan kàn jiàoyù jiémù, wǒ cháng kàn.
我 喜 欢 看 教 育 节 目，我 常 看。（　）

Xià yí ge jiémù jǐ diǎn kāishǐ?
5) 下 一 个 节 目 几 点 开 始？
Liù diǎn bàn kāishǐ.
六 点 半 开 始。（　）

Nǐ měi tiān wǎnshang dōu kàn shū ma?
6) 你 每 天 晚 上 都 看 书 吗？
Wǒ měi tiān wǎnshang dōu kàn shū.
我 每 天 晚 上 都 看 书。（　）

12. **Choose the correct translation.**

1) I like watching TV and movies. ( )

   Wǒ xǐhuan kàn diànshì, yě xǐhuan kàn diànyǐng.
   A. 我 喜 欢 看 电 视 , 也 喜 欢 看 电 影 。
   Wǒ xǐhuan kàn diànyǐng, bù xǐhuan kàn diànshi.
   B. 我 喜 欢 看 电 影 , 不 喜 欢 看 电 视 。

2) I often watch Chinese programmes with my classmates. ( )

   Wǒ cháng gēn tóngxué yìqǐ kàn Zhōngwén jiémù.
   A. 我 常 跟 同 学 一 起 看 中 文 节 目 。
   Wǒ cháng gēn tóngxué yìqǐ kàn Fǎyǔ jiémù.
   B. 我 常 跟 同 学 一 起 看 法 语 节 目 。

3) When will the football match begin? ( )

   Lánqiú bǐsài jǐ diǎn kāishǐ?
   A. 篮 球 比 赛 几 点 开 始 ?
   Zúqiú bǐsài jǐ diǎn kāishǐ?
   B. 足 球 比 赛 几 点 开 始 ?

4) I don't like playing basketball. ( )

   Wǒ bù xǐhuan dǎ lánqiú.
   A. 我 不 喜 欢 打 篮 球 。
   Wǒ bù xǐhuan tī zúqiú.
   B. 我 不 喜 欢 踢 足 球 。

5) Is the next programme the weather forecast? ( )

   Xià yí ge jiémù shì tiānqì yùbào ma?
   A. 下 一 个 节 目 是 天 气 预 报 吗 ?
   Tiānqì yùbào jǐ diǎn kāishǐ?
   B. 天 气 预 报 几 点 开 始 ?

6) The sports programme will start immediately. ( )

   Tǐyù jiémù mǎshàng kāishǐ.
   A. 体 育 节 目 马 上 开 始 。
   Tǐyù jiémù kāishǐ le.
   B. 体 育 节 目 开 始 了 。

13. Write an email to your e-pal recommending some TV programmes that would help him/her understand your country and culture. You could mention:

xīnwén jiémù	lìshǐ jiémù	jiàoyù jiémù
1) 新 闻 节 目	2) 历 史 节 目	3) 教 育 节 目

tiānqì yùbào	tǐyù jiémù	dìlǐ jiémù
4) 天 气 预 报	5) 体 育 节 目	6) 地 理 节 目

14. Use the provided radicals to form characters as the example.

扌	打 _____
日	_____
女	_____

15. Practice writing characters.

👁️ 第二十课　他的表演好极了 👁️

1. Write *pinyin* next to the corresponding Chinese.

jí	Fǎguó	guójì	Ōuzhōu	Yàzhōu	yīnwèi
tāmen de	yǒumíng	suǒyǐ	fēicháng	gēxīng	

亚洲 _____　　　欧洲 _____　　　因为 _____

国际 _____　　　有名 _____　　　非常 _____

极 _____　　　所以 _____　　　法国 _____

歌星 _____　　　他们的 _____

2. Match the English words with the Chinese and the *pinyin*.

very, extremely	所以	yīnwèi
France	歌星	fēicháng
extremely	有名	yǒumíng
international	欧洲	Yàzhōu
Asia	他们的	jí
so, therefore	国际	Ōuzhōu
famous	法国	tāmen de
because	非常	gēxīng
star singer	极	Fǎguó
their, theirs	亚洲	guójì
Europe	因为	suǒyǐ

3. Write the characters according to the *pinyin* and the number of strokes.

wèi 4 画								
yǐ 4 画								
yīn 6 画								

jí 7 画										
suǒ 8 画										

4. Match the following Chinese with stickers from the appendix and stick them here.

Ōuzhōu yǒumíng de yǎnyuán
1) 欧 洲 有 名 的 演 员

Yàzhōu yǒumíng de diànyǐng
2) 亚 洲 有 名 的 电 影

Chángchéng hěn yǒumíng
3) 长 城 很 有 名

gēn gēge yìqǐ kàn biǎoyǎn
4) 跟 哥 哥 一 起 看 表 演

fēicháng yǒumíng de gēxīng
5) 非 常 有 名 的 歌 星

5. Read the Chinese and choose the number of the appropriate picture.

① ② ③

④ ⑤

⑥ ⑦

1) 因为喜欢 _____ ，所以我 常常 看他的电影。
   Yīnwèi xǐhuan _____ suǒyǐ wǒ chángcháng kàn tā de diànyǐng.

2) 因为 常常 听 _____ ，所以我常看音乐节目。
   Yīnwèi chángcháng tīng _____ suǒyǐ wǒ cháng kàn yīnyuè jiémù.

3) 因为今天我 _____ ，所以我不去上课了。
   Yīnwèi jīntiān wǒ _____ suǒyǐ wǒ bú qù shàngkè le.

4) 因为 _____ 里有很多有意思的书，所以我 常去看书。
   Yīnwèi _____ lǐ yǒu hěn duō yǒu yìsi de shū, suǒyǐ wǒ cháng qù kàn shū.

5) 因为 _____ ，所以今天我们不在 运动场 上体育课。
   Yīnwèi _____ suǒyǐ jīntiān wǒmen bú zài yùndòngchǎng shàng tǐyùkè.

6) 她是中国很有名的 _____ ，很多中国人喜欢她的歌。
   Tā shì Zhōngguó hěn yǒumíng de _____ hěn duō Zhōngguórén xǐhuan tā de gē.

7) 因为喜欢中国 _____ ，所以哥哥学习汉语。
   Yīnwèi xǐhuan Zhōngguó _____ suǒyǐ gēge xuéxí Hànyǔ.

6. Refer to the Chinese and write appropriate tone marks on the following *pinyin*.

1) 这个演员的表演好极了！

Zhege yanyuan de biaoyan hao ji le!

2) 这个电影是欧洲的。

Zhege dianying shi Ouzhou de.

3) 因为今天我不舒服，所以我不去了。

Yinwei jintian wo bu shufu, suoyi wo bu qu le.

4) 她是亚洲的。

Ta shi Yazhou de.

5) 中国的京剧非常好看。

Zhongguo de jingju feichang haokan.

7. Choose the correct answers according to "Using in Context" on page 135 of the Student's Book.

1) A 去看了成 龙 演 的 _____ 。
   A qù kànle Chéng Lóng yǎn de

diànyǐng	diànshì
A. 电 影	B. 电 视

2) 成 龙 的 表 演 _____ 。
   Chéng Lóng de biǎoyǎn

bú tài hǎo	hǎo jí le
A. 不 太 好	B. 好 极 了

3) 成 龙 是 _____ 的 演 员 。
   Chéng Lóng shi de yǎnyuán.

Yàzhōu	Ōuzhōu
A. 亚 洲	B. 欧 洲

4) B _____ 想 看 成 龙 的 电 影 。
   B xiǎng kàn Chéng Lóng de diànyǐng.

yě	bù
A. 也	B. 不

5) 现 在 电 影 院 有 一 个 _____ 电 影 。
   Xiànzài diànyǐngyuàn yǒu yí gè diànyǐng.

Fǎguó	Měiguó
A. 法 国	B. 美 国

6) 我 今 天 _____ 课 。
   Wǒ jīntiān kè.

méiyǒu	yǒu
A. 没 有	B. 有

7) 我 _____ 去 看 电 影 。
   Wǒ qù kàn diànyǐng.

jīntiān	míngtiān
A. 今 天	B. 明 天

8) 电 影 院 有 一 个 _____ 的 电 影 。
   Diànyǐngyuàn yǒu yí gè de diànyǐng.

hěn hǎokàn	fēicháng hǎokàn
A. 很 好 看	B. 非 常 好 看

8. Use the provided radicals to form characters according to the *pinyin*.

yīn	zhōu	jì	jí

氵	木
示	阝
及	大
州	口

9. Translate the English into Chinese using the provided characters.

因　欧　法
名　际　有
亚　国　以
所　为　洲

Asia _____   Europe _____

international _____   because _____

so, therefore _____   famous _____

France _____

10. Choose the picture that best matches the Chinese.

Zhè bú shì Ōuzhōu diànyǐng,　zhè shì Yàzhōu de.
1) 这 不 是 欧 洲 电 影 ， 这 是 亚 洲 的 。 (　　)

A.    B.

Yīnwèi jīntiān xià yǔ,　suǒyǐ wǒmen zài tǐyùguǎn shàng tǐyùkè.
2) 因 为 今 天 下 雨 ， 所 以 我 们 在 体 育 馆 上 体 育 课 。 (　　)

A.    B.

Xīngqīwǔ xiàwǔ wǒ qù xué jīngjù.

3) 星期五下午我去学京剧。（　）

A.

B.

Tā shì Yàzhōu yǒumíng de yǎnyuán, wǒ hěn xǐhuan tā de biǎoyǎn.

4) 他是亚洲有名的演员，我很喜欢他的表演。（　）

A.

B.

Túshūguǎn de shū duō jí le!

5) 图书馆的书多极了！（　）

A.

B.

Zhè shì yí ge fēicháng hǎokàn de diànyǐng, yǎnyuán shì yǒumíng de gēxīng.

6) 这是一个非常好看的电影，演员是有名的歌星。

（　）

A.

B.

11. Read the Chinese and choose the number of the appropriate picture.

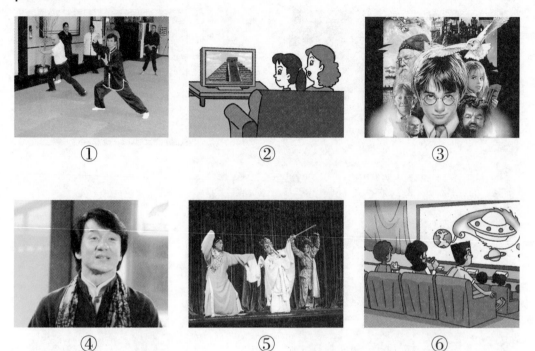

① ② ③

④ ⑤ ⑥

Nǐ xiǎng kàn shénme diànyǐng?
1) 你 想 看 什么 电 影？
Wǒ xiǎng kàn Ōuzhōu diànyǐng.
我 想 看 欧 洲 电 影。（　）

Tā shì Ōuzhōu yǎnyuán ma?
2) 他 是 欧 洲 演 员 吗？
Tā shì Yàzhōu yǎnyuán, tā hěn yǒumíng.
他 是 亚 洲 演 员，他 很 有 名。（　）

Xīngqīliù nǐ yǒu kè ma?
3) 星 期 六 你 有 课 吗？
Méiyǒu kè, wǒ qù xué jīngjù biǎoyǎn.
没 有 课，我 去 学 京 剧 表 演。（　）

Jīntiān nǐmen xué tàijíquán ma?
4) 今 天 你 们 学 太 极 拳 吗？
Xué le, yīnwèi tiānqì bù hǎo, suǒyǐ wǒmen zài tǐyùguǎn xué tàijíquán.
学 了，因 为 天 气 不 好，所 以 我 们 在 体 育 馆 学 太 极 拳。（　）

Xīngqītiān nǐ kàn shénme diànshì jiémù?
5) 星 期 天 你 看 什么 电 视 节 目？
Yīnwèi māma xǐhuan kàn lìshǐ jiémù, suǒyǐ wǒ gēn tā yìqǐ kàn.
因 为 妈 妈 喜 欢 看 历 史 节 目，所 以 我 跟 她 一 起 看。（　）

Zhōumò nǐ xiǎng kàn diànyǐng ma?
6) 周 末 你 想 看 电 影 吗？
Diànyǐngyuàn yǒu yí gè fēicháng hǎokàn de diànyǐng, wǒmen yìqǐ qù kàn ba.
电 影 院 有 一 个 非 常 好 看 的 电 影，我 们 一 起 去 看 吧。
（　）

12. Choose the correct translation.

1) This is not an Asian film, it's European. (　)

Zhè bú shì Ōuzhōu diànyǐng,　zhè shì Yàzhōu de.
A. 这 不 是 欧 洲 电 影 ， 这 是 亚 洲 的 。

Zhè bú shì Yàzhōu diànyǐng,　zhè shì Ōuzhōu de.
B. 这 不 是 亚 洲 电 影 ， 这 是 欧 洲 的 。

2) He is the most famous actor in the world. (　)

Tā shì Yàzhōu zuì yǒumíng de yǎnyuán.
A. 他 是 亚 洲 最 有 名 的 演 员 。

Tā shì guójì shang zuì yǒumíng de yǎnyuán.
B. 他 是 国 际 上 最 有 名 的 演 员 。

3) That place is extremely beautiful. (　)

Nàge difang piàoliang jí le.
A. 那 个 地 方 漂 亮 极 了 。

Nàge difang gānjìng jí le.
B. 那 个 地 方 干 净 极 了 。

4) His performance is extremely good, so we like his films. (　)

Yīnwèi tā de jiémù hǎo jí le,　suǒyǐ wǒmen xǐhuan tā de diànyǐng.
A. 因 为 他 的 节 目 好 极 了 ， 所 以 我 们 喜 欢 他 的 电 影 。

Yīnwèi tā de biǎoyǎn hǎo jí le,　suǒyǐ wǒmen xǐhuan tā de diànyǐng.
B. 因 为 他 的 表 演 好 极 了 ， 所 以 我 们 喜 欢 他 的 电 影 。

5) It's interesting, so we like it. (　)

Yīnwèi yǒumíng,　suǒyǐ wǒmen xǐhuan.
A. 因 为 有 名 ， 所 以 我 们 喜 欢 。

Yīnwèi yǒu yìsi,　suǒyǐ wǒmen xǐhuan.
B. 因 为 有 意 思 ， 所 以 我 们 喜 欢 。

6) She is the most famous singer in China. (　)

Tā shì Zhōngguó zuì yǒumíng de diànyǐng yǎnyuán.
A. 她 是 中 国 最 有 名 的 电 影 演 员 。

Tā shì Zhōngguó zuì yǒumíng de gēxīng.
B. 她 是 中 国 最 有 名 的 歌 星 。

13. Recommend a popular movie to your Chinese friend. You could mention:

1) Which country the movie is from

2) Which country the leading actor/actress is from

3) If the actor/actress is famous

4) If you like the music of the movie

5) How the actor/actress performed in the movie

6) If you recommend the movie and why

14. Use the provided radicals to form characters as the example.

氵 | 汉 _____

木 | _____

阝 | _____

15. Practice writing characters.

第二十一课 你看广告没有

1. Write *pinyin* next to the corresponding Chinese.

> shǒujī   méi(yǒu)   dìtiě   shōuyīnjī   shǒubiǎo   shìzhōngxīn
> zhōngxīn   guǎnggào   juéde   qiánbāo   tèbié

中心 _____   广告 _____   地铁 _____

手表 _____   钱包 _____   手机 _____

觉得 _____   没（有）_____   特别 _____

收音机 _____   市中心 _____

2. Match the English words with the Chinese and the *pinyin*.

not to have	市中心	dìtiě
underground	钱包	tèbié
to feel; to think	手机	shìzhōngxīn
watch	地铁	méi(yǒu)
radio	广告	shǒujī
centre	特别	juéde
wallet	没（有）	shōuyīnjī
city centre	手表	shǒubiǎo
advertisement	中心	guǎnggào
mobile phone	收音机	zhōngxīn
especially; special	觉得	qiánbāo

3. Write the characters according to the *pinyin* and the number of strokes.

xīn 4 画									
shǒu 4 画									

gào 7 画								
huà 8 画								
biǎo 8 画								

4. Match the following Chinese with stickers from the appendix and stick them here.

diànshì lǐ de guǎnggào
1) 电视里的广告

tīng shōuyīnjī
2) 听收音机

piàoliang de shǒubiǎo
3) 漂亮的手表

xīn shǒujī
4) 新手机

shìzhōngxīn
5) 市中心

dìtiě lǐ de guǎnggào
6) 地铁里的广告

5. Following the example, fill in the table below with the provided words and phrases.

<table>
<tr><td>shōuyīnjī
收音机</td><td>diànshì jiémù
电视节目</td><td>xīn shǒubiǎo
新手表</td><td>Zhōngguó yīnyuè
中国音乐</td><td>shāfā
沙发</td><td>qiánbāo
钱包</td></tr>
<tr><td>jīngjù biǎoyǎn diànyǐngpiào
京剧表演 电影票</td><td></td><td>yīnyuè
音乐</td><td>diànnǎo
电脑</td><td>lánqiú bǐsài
篮球比赛</td><td></td></tr>
</table>

mǎi 买	kàn 看	tīng 听
xīn shǒubiǎo 新手表		

6. Answer the questions according to your own opinions.

Qìchēzhàn de guǎnggào hé dìtiězhàn de guǎnggào, nǎge piàoliang?
1) 汽车站的广告和地铁站的广告，哪个漂亮？（   ）

A.
B.

Báisè de shǒujī hé hóngsè de shǒujī, nǎge piàoliang?
2) 白色的手机和红色的手机，哪个漂亮？（   ）

A.
B.

Diànshì li de guǎnggào hé shōuyīnjī li de guǎnggào, nǎge hǎo?
3) 电视里的广告和收音机里的广告，哪个好？（　　）

A.  B.

Lìshǐshū hé dìlǐshū, nǐ xǐhuan nǎ běn?
4) 历史书和地理书，你喜欢哪本？（　　）

A.  B.

Dà diànnǎo hé xiǎo diànnǎo, nǎge hǎo?
5) 大电脑和小电脑，哪个好？（　　）

A.  B.

Hēisè de qiánbāo hé báisè de qiánbāo, nǎge piàoliang?
6) 黑色的钱包和白色的钱包，哪个漂亮？（　　）

A.  B.

Tīng shōuyīnjī hé kàn diànshì, nǎge yǒu yìsi?
7) 听收音机和看电视，哪个有意思？（　　）

A.  B.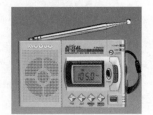

7. Refer to the Chinese and write appropriate tone marks on the following *pinyin*.

1) 我要买一个新手机。

Wo yao mai yi ge xin shouji.

2) 市中心有两个花园，都很漂亮。

Shizhongxin you liang ge huayuan, dou hen piaoliang.

3) 我喜欢看地铁里的广告。

Wo xihuan kan ditie li de guanggao.

4) 你的收音机跟他的不一样，哪个好?

Ni de shouyinji gen ta de bu yiyang, nage hao?

5) 我觉得黑色的钱包特别漂亮。

Wo juede heise de qianbao tebie piaoliang.

8. Tell T (true) or F (false) according to "Using in Context" on page 142 of the Student's Book.

Wǒ xiǎng mǎi yí gè xīn shǒubiǎo.
1) 我 想 买 一 个 新 手 表 。 (   )

Zhè shì Yàzhōu zuì hǎo de shǒujī.
2) 这 是 亚 洲 最 好 的 手 机 。 (   )

Diànshì li yě yǒu zhège shǒujī de guǎnggào.
3) 电 视 里 也 有 这 个 手 机 的 广 告 。 (   )

Wǒ bù xǐhuan kàn diànshì li de guǎnggào.
4) 我 不 喜 欢 看 电 视 里 的 广 告 。 (   )

Wǒ xǐhuan tīng shōuyīnjī li de guǎnggào.
5) 我 喜 欢 听 收 音 机 里 的 广 告 。 (   )

Měi gè guǎnggào dōu méiyǒu yìsi.
6) 每 个 广 告 都 没 有 意 思 。 (   )

Shizhōngxīn de shǒujī guǎnggào piàoliang jí le.
7) 市 中 心 的 手 机 广 告 漂 亮 极 了 。 (   )

9. Use the provided radicals to form characters according to the *pinyin*.

shì	dì	tiě	shōu

钅	攵
土	宀
巾	刂
也	失

10. Translate the English into Chinese using the provided characters.

机 中 地
告 没 广
表 有 市
铁 手 心

not to have _____   mobile phone _____

city centre _____   advertisement _____

underground _____   watch _____

11. Choose the picture that best matches the Chinese.

Qìchē de guǎnggào piàoliang jí le!
1) 汽 车 的 广 告 漂 亮 极 了 ! （   ）

A.

B.

Xiǎomíng xiǎng mǎi yí ge xīn shǒujī.
2) 小 明 想 买 一 个 新 手 机 。 （   ）

A.

B.

Wǒ xǐhuan tīng shōuyīnjī li de guǎnggào.
3) 我 喜 欢 听 收 音 机 里 的 广 告 。 （   ）

A.

B.

Wǒ zài dìtiě lǐ tīng Fǎguó yīnyuè.

4) 我 在 地 铁 里 听 法 国 音 乐 。 （　　）

A. 　　B.

Xīngqīliù wǒ qù shìzhōngxīn mǎi dōngxi.

5) 星 期 六 我 去 市 中 心 买 东 西 。 （　　）

A. 　　B.

Wǒ juéde gēge de xīn zìxíngchē tèbié hǎokàn.

6) 我 觉 得 哥 哥 的 新 自 行 车 特 别 好 看 。 （　　）

A. 　　B.

Hěn duō Zhōngguórén juéde jīngjù tèbié yǒu yìsi.

7) 很 多 中 国 人 觉 得 京 剧 特 别 有 意 思 。 （　　）

A. 　　B.

12. Read the Chinese and choose the number of the appropriate picture.

① ② ③ ④ ⑤ ⑥

Nǐ xiǎng mǎi shénme?
1) 你 想 买 什 么 ?
Wǒ xiǎng mǎi yí gè xīn shǒujī.
我 想 买 一 个 新 手 机 。 ( )

Jīntiān nǐ qù mǎi dōngxi ma?
2) 今 天 你 去 买 东 西 吗 ?
Míngtiān shì bàba de shēngrì, wǒ xiǎng gěi tā mǎi yí gè shōuyīnjī.
明 天 是 爸 爸 的 生 日 , 我 想 给 他 买 一 个 收 音 机 。 ( )

Nǐ xiǎng dìng shénme piào?
3) 你 想 订 什 么 票 ?
Wǒ xiǎng dìng yì zhāng diànyǐngpiào.
我 想 订 一 张 电 影 票 。 ( )

Nǎge guǎnggào yǒu yìsi?
4) 哪 个 广 告 有 意 思 ?
Wǒ xǐhuan shǒubiǎo de guǎnggào.
我 喜 欢 手 表 的 广 告 。 ( )

Nǐ kànle zhège xīn diànyǐng méiyǒu?
5) 你 看 了 这 个 新 电 影 没 有 ?
Wǒ kànle, nàge nán yǎnyuán de biǎoyǎn hǎo jí le.
我 看 了 , 那 个 男 演 员 的 表 演 好 极 了 。 ( )

13. Choose the correct translation.

1) There are ads on TV and on the radio. ( )
Diànshì li yǒu guǎnggào, shōuyīnjī li méiyǒu guǎnggào.
A. 电 视 里 有 广 告 , 收 音 机 里 没 有 广 告 。
Diànshì li yǒu guǎnggào, shōuyīnjī li yě yǒu guǎnggào.
B. 电 视 里 有 广 告 , 收 音 机 里 也 有 广 告 。

2) Did you see today's geography programme? ( )
Nǐ kàn jīntiān de dìlǐ jiémù méiyǒu?
A. 你 看 今 天 的 地 理 节 目 没 有 ?
Nǐ méiyǒu kàn jīntiān de dìlǐ jiémù le ma?
B. 你 没 有 看 今 天 的 地 理 节 目 了 吗 ?

3) There are three gardens in the city centre. Which is the most beautiful one?
(   )

Shìzhōngxīn yǒu sān gè huāyuán,　nǎge zuì piàoliang?
A. 市 中 心 有 三 个 花 园 ， 哪 个 最 漂 亮 ？

Shìzhōngxīn yǒu sān gè huāyuán,　shénme zuì piàoliang?
B. 市 中 心 有 三 个 花 园 ， 什 么 最 漂 亮 ？

4) This watch is the best in Europe. It's extremely expensive. (   )

Zhège shǒubiǎo shì Ōuzhōu zuì hǎo de shǒubiǎo,　guì jí le.
A. 这 个 手 表 是 欧 洲 最 好 的 手 表 ， 贵 极 了 。

Zhège shǒubiǎo shì Ōuzhōu zuì hǎo de shǒubiǎo,　tài guì.
B. 这 个 手 表 是 欧 洲 最 好 的 手 表 ， 太 贵 。

5) Is there this music on TV? (   )

Diànyǐng li méiyǒu méi zhège yīnyuè?
A. 电 影 里 没 有 没 这 个 音 乐 ？

Diànshì li yǒu méiyǒu zhège yīnyuè?
B. 电 视 里 有 没 有 这 个 音 乐 ？

6) Have you watched the ads for the new sports bicycle? (   )

Nǐ kàn nàge xīn de yùndòng zìxíngchē de guǎnggào méiyǒu?
A. 你 看 那 个 新 的 运 动 自 行 车 的 广 告 没 有 ？

Nǐ kàn méiyǒu nàge xīn de yùndòng zìxíngchē de guǎnggào ma?
B. 你 看 没 有 那 个 新 的 运 动 自 行 车 的 广 告 吗 ？

14. Which birthday gift would you choose?

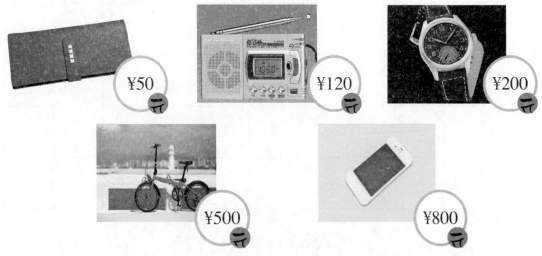

¥50　　¥120　　¥200　　¥500　　¥800

1) If the gift is from your parents, what would you like to have? Why?

2) If the gift is from your friends, what would you like to have? Why?

3) If the gift is too expensive and you have to share part of the expense, which gift would you choose? Why?

4) What gift do you want the most? Why?

15. Use the provided radicals to form characters as the example.

土　地 _____

钅　_____

攵　_____

16. Practice writing characters.

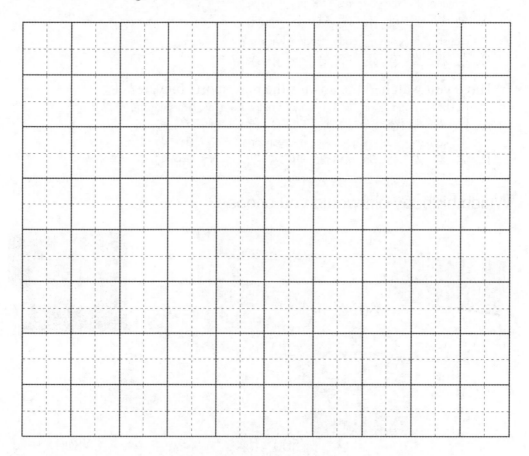

第二十二课　我去过故宫

1. Write *pinyin* next to the corresponding Chinese.

> Āijí　Déguó　Táiwān　Lúndūn　Chángchéng　Gùgōng
> shǔjià　guo　hǎowánr　jìhuà　lǚyóu

暑假 _____　　故宫 _____　　过 _____

台湾 _____　　计划 _____　　伦敦 _____

长城 _____　　旅游 _____　　德国 _____

埃及 _____　　好玩儿 _____

2. Match the English words with the Chinese and the *pinyin*.

Germany	台湾	Āijí
the Imperial Palace	故宫	Déguó
interesting, amusing	长城	Táiwān
Egypt	德国	Lúndūn
London	埃及	lǚyóu
to plan; plan	暑假	Gùgōng
summer holiday	伦敦	jìhuà
the Great Wall	旅游	shǔjià
Taiwan	计划	Chángchéng
travel, tourism	好玩儿	hǎowánr

3. Write the characters according to the *pinyin* and the number of strokes.

tái 5画									
guò 6画									
gōng 9画									
chéng 9画									
měi 9画									

4. Match the following Chinese with stickers from the appendix and stick them here.

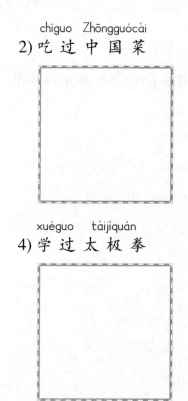

qùguo   Gùgōng
1) 去 过 故 宫

chīguo   Zhōngguócài
2) 吃 过 中 国 菜

kànguo   Fǎguó   diànyǐng
3) 看 过 法 国 电 影

xuéguo   tàijíquán
4) 学 过 太 极 拳

dǎguo   pīngpāngqiú
5) 打过乒乓球

[ ]

tīguo   zúqiú
6) 踢过足球

[ ]

jìhuà   qù   Déguó
7) 计划去德国

[ ]

Fǎguó   hěn   hǎowánr
8) 法国很好玩儿

[ ]

5. Following the example, fill in the table below with the provided words and phrases.

hǎixiān	diǎnxin	diànyǐng	Chángchéng	Āijí	Jiānádà	Yàzhōu
海鲜	点心	电影	长城	埃及	加拿大	亚洲

jiàoyù	jiémù	dìlǐ	zhūròu	shùxué	jīngjù	Hànyǔ
教育节目	地理	猪肉	数学	京剧	汉语

chīguo 吃过	kànguo 看过	xuéguo 学过	qùguo 去过
hǎixiān 海鲜			

6. Complete the following phrases with the provided words. Some words may be used more than once.

mǎi	hē	tīng	qù	dǎ	jìhuà
① 买	② 喝	③ 听	④ 去	⑤ 打	⑥ 计划

1) _____ 过 汽 水
guo qìshuǐ

2) _____ 过 京 剧
guo jīngjù

3) _____ 过 德 国 音 乐
guo Déguó yīnyuè

4) _____ 过 羽 毛 球
guo yǔmáoqiú

5) _____ 过 美 国
guo Měiguó

6) _____ 过 电 影 票
guo diànyǐngpiào

7) _____ 过 中 文 书
guo Zhōngwénshū

8) _____ 过 英 国 茶
guo Yīngguóchá

9) _____ 去 看 电 影
qù kàn diànyǐng

10) _____ 去 欧 洲 旅 行
qù Ōuzhōu lǚxíng

7. Refer to the Chinese and write appropriate tone marks on the following *pinyin*.

1) 我去过英国，还去过法国。

Wo quguo Yingguo, hai quguo Faguo.

2) 暑假我想去埃及。

Shujia wo xiang qu Aiji.

3) 妹妹想坐火车去上海。

Meimei xiang zuo huoche qu Shanghai.

4) 你看过这个电影吗？

Ni kanguo zhege dianying ma?

5) 我计划去德国，德国很好玩儿。

Wo jihua qu Deguo, Deguo hen haowanr.

6) 我们家常常去旅游，太有意思了！

Women jia changchang qu lüyou, tai you yisi le!

8. Circle the words below that were not mentioned in "Using in Context" on page 151 of the Student's Book.

Běijīng	Táiwān	Shànghǎi	Lúndūn	Déguó
北 京	台 湾	上 海	伦 敦	德 国
Āijí	Fǎguó	Chángchéng	Gùgōng	Tiān'ānmén
埃 及	法 国	长 城	故 宫	天 安 门

9. Use the provided radicals to form characters according to the *pinyin*.

gù	chéng	wān	lún

土	氵
古	仑
弯	亻
成	攵

10. Translate the English into Chinese using the provided characters.

城　敦　国
埃　台　宫
湾　德　伦
故　长　及

the Great Wall _____

the Imperial Palace _____

Egypt _____ London _____

Taiwan _____ Germany _____

11. Choose the picture that best matches the Chinese.

Yīngwén lǎoshī qùguo Měiguó.

1) 英文老师去过美国。（　）

A. 　　　　B.

Jīnnián shǔjià wǒ qùle Fǎguó.

2) 今年暑假我去了法国。（　）

A. 　　　　B.

Hěn duō rén dōu xiǎng qù Āijí.
3) 很 多 人 都 想 去 埃及 。 （   ）

A.

B.

Wǒ xuéguo shūfǎ,   wǒ hěn xǐhuan.
4) 我 学 过 书法 ，我 很 喜欢 。 （   ）

A.

B.

Nǐ kànguo Zhōngguó diànyǐng ma?
5) 你 看 过 中 国 电影 吗 ？ （   ）

A.

B.

Nǐ qùguo Chángchéng ma? Chángchéng hǎowánr ma?
6) 你 去 过 长 城 吗 ？ 长 城 好 玩 儿 吗 ？（   ）

A.

B.

Shǔjià wǒmen yìqǐ qù Lúndūn lǚyóu ba!
7) 暑 假 我 们 一 起 去 伦 敦 旅 游 吧！ （　　）

A.    B.

12. Read the Chinese and choose the number of the appropriate picture.

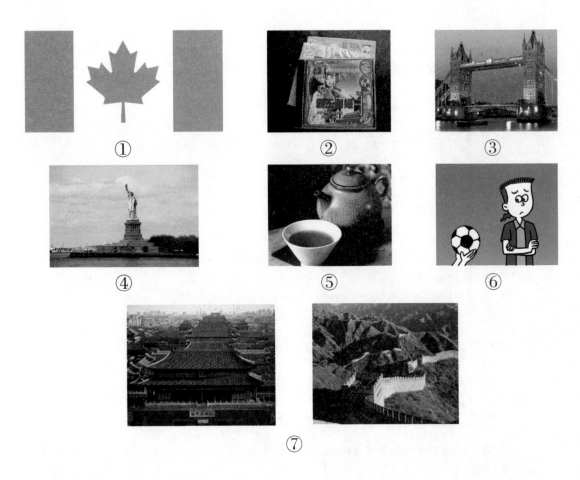

① ② ③

④ ⑤ ⑥

⑦

Nǐ tīngguo jīngjù ma?
1) 你 听 过 京 剧 吗？
Tīngguo, wǒ yǒu hěn duō jīngjù chàngpiàn.
听 过，我 有 很 多 京 剧 唱 片。（　　）
Jīnnián xiàtiān nǐ qù shénme dìfang?
2) 今 年 夏 天 你 去 什 么 地 方？
Wǒ zuò fēijī qù Jiānádà.
我 坐 飞 机 去 加 拿 大。（　　）

Nǐ qùguo Ōuzhōu ma?

3) 你去过欧洲吗？
   Wǒ qùguo Ōuzhōu, wǒ hěn xǐhuan Ōuzhōu.
   我去过欧洲，我很喜欢欧洲。（　　）
   Nǐ tīguo zúqiú ma?

4) 你踢过足球吗？
   Méiyǒu, wǒ méi tīguo zúqiú, wǒ bù xǐhuan tī zúqiú.
   没有，我没踢过足球，我不喜欢踢足球。（　　）
   Jīnnián shǔjià nǐ jìhuà qù nǎr lǚyóu?

5) 今年暑假你计划去哪儿旅游？
   Wǒ jìhuà zuò huǒchē qù Běijīng, tīngshuō Chángchéng hé Gùgōng dōu hěn hǎowánr.
   我计划坐火车去北京，听说 长城 和故宫都很好玩儿。

   （　　）

13. Choose the correct translation.

1) My father has studied *taijiquan* before. （　　）
   Bàba xuéguo tàijíquán.　　　　　　　Bàba xiǎng xué tàijíquán.
   A.爸爸学过太极拳。　　　　B.爸爸想学太极拳。

2) Have you ever drunk Chinese tea? （　　）
   Nǐ hē Zhōngguóchá ma?　　　　　　　Nǐ hēguo Zhōngguóchá ma?
   A.你喝中国茶吗？　　　　B.你喝过中国茶吗？

3) I have listened some German music before. I like it very much. （　　）
   Wǒ tīng de Déguó yīnyuè, wǒ hěn xǐhuan.
   A.我听的德国音乐，我很喜欢。
   Wǒ tīngguo Déguó yīnyuè, wǒ hěn xǐhuan.
   B.我听过德国音乐，我很喜欢。

4) Have you ever been to Egypt? I have never been there. （　　）
   Nǐ qùguo Āijí ma? Wǒ méi qùguo.
   A.你去过埃及吗？我没去过。
   Nǐ qùle Āijí ma? Wǒ méi qù le.
   B.你去了埃及吗？我没去了。

5) My friend said that France is very interesting. She plans to go to France by train. （　　）
   Wǒ péngyoushuō Fǎguó hěn hǎowánr, tā jìhuà zuò huǒchē qù.
   A.我朋友说法国很好玩儿，她计划坐火车去。
   Wǒ péngyou shuō Fǎguó shì yǒu yìsi de, tā jìhuà zuò huǒchē qù.
   B.我朋友说法国是有意思的，她计划坐火车去。

14. Talk about a photo from your travels. You could mention:

1) Why you chose the place as your destination

2) How long you spent there

3) What you did there

4) Where you stayed

5) What the most interesting thing was you saw or did there

15. Practice writing characters.

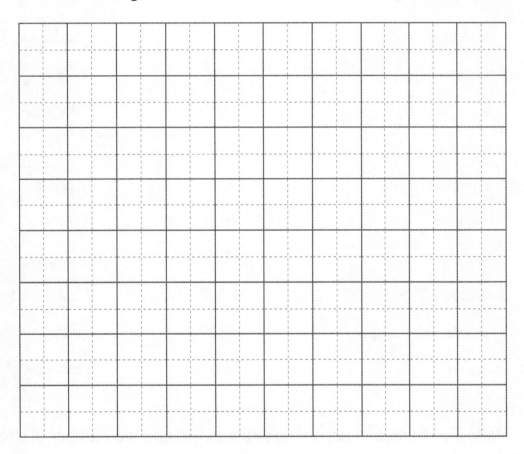

第二十三课　广州比北京热得多

1. Write *pinyin* next to the corresponding Chinese.

> bùdéliǎo　xiàtiān　dōngtiān　yuǎn　jìn　fēngjǐng
> hǎitān　de　dìtú　dǎsuàn　hǎi biān

得 _____ 　　地图 _____ 　　海滩 _____

近 _____ 　　冬天 _____ 　　风景 _____

远 _____ 　　海边 _____ 　　夏天 _____

打算 _____ 　　不得了 _____

2. Match the English words with the Chinese and the *pinyin*.

near, close	冬天	bùdéliǎo
winter	地图	xiàtiān
far	近	dōngtiān
extreme	海边	yuǎn
to plan, to intend	夏天	hǎi biān
beach	打算	jìn
map	风景	fēngjǐng
summer	不得了	hǎitān
seaside	远	dìtú
scenery	海滩	dǎsuàn

3. Write the characters according to the *pinyin* and the number of strokes.

yuǎn 7 画											
jìn 7 画											

hǎi 10画									
xià 10画									
de 11画									

4. Match the following Chinese with stickers from the appendix and stick them here.

rè de bùdéliǎo
1) 热 得 不 得 了

lěng de bùdéliǎo
2) 冷 得 不 得 了

yuǎn de bùdéliǎo
3) 远 得 不 得 了

gāoxìng de bùdéliǎo
4) 高兴 得 不 得 了

hǎi biān de fēngjǐng
5) 海 边 的 风景

piàoliang de bùdéliǎo
6) 漂亮 得 不 得 了

5. Complete the following sentences with the provided words. Some words may be used more than once.

yuǎn	gāo	duō	nán	hǎo	guì	piàoliang	rè
① 远	② 高	③ 多	④ 难	⑤ 好	⑥ 贵	⑦ 漂亮	⑧ 热

Zuò fēijī bǐ zuò huǒchē ____ de duō.
1) 坐 飞 机 比 坐 火 车 ____ 得 多 。

Gēge bǐ wǒ ____ de duō.
2) 哥 哥 比 我 ____ 得 多 。

Jīchǎng bǐ huǒchēzhàn ____ de duō.
3) 机 场 比 火 车 站 ____ 得 多 。

Xiānggǎng de dōngtiān bǐ xiàtiān ____ de duō, bù lěng yě bú rè.
4) 香 港 的 冬 天 比 夏 天 ____ 得 多 , 不 冷 也 不 热 。

Tiān'ānmén Guǎngchǎng de rén ____ de bùdéliǎo.
5) 天 安 门 广 场 的 人 ____ 得 不 得 了 。

Jīntiān de zuòyè ____ de bùdéliǎo.
6) 今 天 的 作 业 ____ 得 不 得 了 。

Nǐ jiā de huāyuán ____ de bùdéliǎo.
7) 你 家 的 花 园 ____ 得 不 得 了 。

Shìzhōngxīn bǐ hǎibiān ____ de duō.
8) 市 中 心 比 海 边 ____ 得 多 。

6. Refer to the Chinese and write appropriate tone marks on the following *pinyin*.

1) 暑假我想去台湾，你呢?

Shujia wo xiang qu Taiwan, ni ne?

2) 你去过中国吗?

Ni quguo Zhongguo ma?

3) 广州比北京热得多。

Guangzhou bi Beijing re de duo.

4) 上海大得不得了。

Shanghai da de budeliao.

5) 你打算去海边吗?

Ni dasuan qu hai bian ma?

7. Circle the words below that were not mentioned in "Using in Context" on page 158 of the Student's Book.

Guǎngzhōu	Fǎguó	Táiwān	Běijīng	Xiānggǎng	Měiguó
广州	法国	台湾	北京	香港	美国
Lúndūn	hǎitān	Gùgōng	Chángchéng	jīchǎng	huǒchēzhàn
伦敦	海滩	故宫	长城	机场	火车站

8. Use the provided radicals to form characters according to the *pinyin*.

yuǎn	jìn	jǐng
hǎi	tú	tān

京	口
氵	辶
每	日
冬	难
元	斤

9. Translate the English into Chinese using the provided characters.

风　冬　图
暑　春　景
天　夏　假
海　地　滩

beach _____ summer _____

map _____ scenery _____

winter _____ spring _____

summer holiday _____

10. Match the following Chinese with stickers from the appendix and stick them here.

1)
Tā dùzi téng de bùdéliǎo.
他 肚 子 疼 得 不 得 了 。

2)
Zhèli de dōngtiān lěng de bùdéliǎo.
这 里 的 冬 天 冷 得 不 得 了 。

3)
Jiějie bǐ wǒ gāo de duō.
姐 姐 比 我 高 得 多 。

4)
Xīn yùndòngxié piàoliang de bùdéliǎo.
新 运 动 鞋 漂 亮 得 不 得 了 。

5)
Diànnǎo bǐ shǒujī guì de duō.
电 脑 比 手 机 贵 得 多 。

6)
Wǒ hé gēge zài hǎitān sànbù.
我 和 哥 哥 在 海 滩 散 步 。

7)
Jīnnián shǔjià nǐ dǎsuàn qù nǎr lǚyóu?
今 年 暑 假 你 打 算 去 哪 儿 旅 游 ？

11. Read the Chinese and choose the number of the appropriate picture.

① ② ③

④ ⑤ ⑥ ⑦

Xiàtiān nǐ xiǎng qù nǎr?
1) 夏天你想去哪儿？
Wǒ xiǎng gēn Xiǎomíng yìqǐ qù hǎitān.
我想跟小明一起去海滩。（　）

Nǐ qùguo Chángchéng ma?
2) 你去过长城吗？
Qùguo, Chángchéng de fēngjǐng piàoliang de bùdéliǎo.
去过，长城的风景漂亮得不得了。（　）

Huǒchēzhàn hé túshūguǎn nǎge yuǎn?
3) 火车站和图书馆哪个远？
Huǒchēzhàn bǐ túshūguǎn yuǎn de duō.
火车站比图书馆远得多。（　）

Běijīng chūntiān fēng dà ma?
4) 北京春天风大吗？
Běijīng chūntiān fēng dà de bùdéliǎo.
北京春天风大得不得了。（　）

Shǔjià nǐ dǎsuàn qù nǎr?
5) 暑假你打算去哪儿？
Wǒ dǎsuàn qù Fǎguó lǚyóu.
我打算去法国旅游。（　）

12. Choose the correct translation.

1) My brother will go to China this winter. (   )

  Wǒ gēge jīnnián dōngtiān yào qù Zhōngguó.
  A. 我哥哥今年冬天要去中国。

  Wǒ gēge jīnnián xiàtiān yào qù Zhōngguó.
  B. 我哥哥今年夏天要去中国。

2) My sister will go to the beach with her friends this summer. (   )

  Wǒ jiějie jīnnián xiàtiān yào gēn péngyou yìqǐ qù hǎitān.
  A. 我姐姐今年夏天要跟朋友一起去海滩。

  Wǒ jiějie jīnnián dōngtiān yào gēn péngyou yìqǐ qù hǎitān.
  B. 我姐姐今年冬天要跟朋友一起去海滩。

3) Guangzhou is much hotter than Beijing in summer. (   )

  Xiàtiān Běijīng bǐ Guǎngzhōu rè de duō.
  A. 夏天北京比广州热得多。

  Xiàtiān Guǎngzhōu bǐ Běijīng rè de duō.
  B. 夏天广州比北京热得多。

4) There are a lot of Chinese books in the library. (   )

  Túshūguǎn de Zhōngwénshū shǎo de bùdéliǎo.
  A. 图书馆的中文书少得不得了。

  Túshūguǎn de Zhōngwénshū duō de bùdéliǎo.
  B. 图书馆的中文书多得不得了。

5) There are a lot of attractions in Hong Kong. (   )

  Xiānggǎng hǎowánr de dìfang duō de bùdéliǎo.
  A. 香港好玩儿的地方多得不得了。

  Yǒu hěn duō hǎowánr de dìfang zài Xiānggǎng.
  B. 有很多好玩儿的地方在香港。

13. You are a travel agent. You have a Chinese customer who doesn't speak English to whom you must explain the tour itinerary. You need to mention:

> 7:00 — 8:00: Breakfast in hotel
>
> 8:30 — 10:00: Seaside sightseeing
>
> 10:30 — 12:30: Museum
>
> 13:00 — 14:00: Lunch
>
> 15:00 — 18:00: Downtown sightseeing
>
> 18:30 — 19:30: Dinner
>
> 20:00 — 22:00: Concert

14. Use the provided radicals to form characters as the example.

辶	近 _____
口	_____
心	_____

15. Practice writing characters.

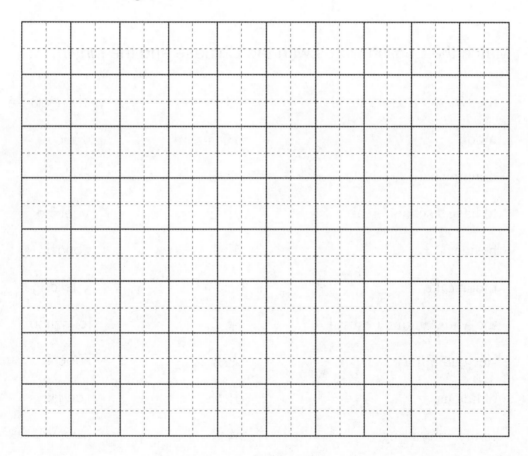

🙢 第二十四课　吃月饼，看月亮 🙠

1. Write *pinyin* next to the corresponding Chinese.

> Zhōngqiū Jié　Duānwǔ Jié　yuèbing　zòngzi　yuèliang
> lóngzhōu　hǎochī　chúle　fàngjià　yǒuqù

好吃 _____　　月亮 _____　　除了 _____

有趣 _____　　月饼 _____　　龙舟 _____

放假 _____　　粽子 _____　　中秋节 _____

端午节 _____

2. Match the English words with the Chinese and the *pinyin*.

the Dragon Boat Festival	粽子	Zhōngqiū Jié
moon	端午节	yǒuqù
dragon boat	好吃	chúle
to have a school break	月亮	yuèbing
besides	有趣	zòngzi
moon cake	中秋节	yuèliang
the Mid-Autumn Festival	除了	lóngzhōu
rice dumpling	龙舟	hǎochī
delicious	月饼	fàngjià
funny, interesting	放假	Duānwǔ Jié

3. Write the characters according to the *pinyin* and the number of strokes.

wǔ						
4 画						
lóng						
5 画						

qiū 9 画										
bǐng 9 画										
chú 9 画										

4. **Match the following Chinese with stickers from the appendix and stick them here.**

lóngzhōu bǐsài
1) 龙 舟 比 赛

chī yuèbing
2) 吃 月 饼

kàn yuèliang
3) 看 月 亮

chī zòngzi
4) 吃 粽 子

xuéxiào fàngjià
5) 学 校 放 假

huí jiā kàn bàba māma
6) 回 家 看 爸 爸 妈 妈

5. Following the example, fill in the table below with the provided words and phrases.

diànyǐng 电影	yuèbǐng 月饼	tǐyù jiémù 体育节目	niúròu 牛肉	lóngzhōu bǐsài 龙舟比赛
huā 花	diǎnxin 点心	dǎ yǔmáoqiú 打羽毛球	pīngpāngqiú bǐsài 乒乓球比赛	yuèliang 月亮
xīnwén 新闻	zòngzi 粽子	shuǐguǒ 水果	Zhōngwénshū 中文书	diànshì 电视

	hěn hǎochī 很好吃
yuèbǐng 月饼	
	hěn hǎokàn 很好看
	hěn yǒuqù 很有趣

6. Complete the following sentences with the provided words. Some words may be used more than once.

chī ① 吃	hē ② 喝	xué ③ 学	dǎ ④ 打	kàn ⑤ 看	mǎi ⑥ 买

1) Zǎoshang wǒ chúle ____ miànbāo, hái ____ jīdàn.
   早上 我 除了 ____ 面包 ， 还 ____ 鸡蛋 。

2) Míngming chúle ____ Yīngwén, hái ____ Fǎwén.
   明明 除了 ____ 英文 ， 还 ____ 法文 。

3) Bàba chúle ____ chá, hái ____ kāfēi.
   爸爸 除了 ____ 茶 ， 还 ____ 咖啡 。

4) Māma chúle ____ tàijíquán, hái ____ pīngpāngqiú.
   妈妈 除了 ____ 太极拳 ， 还 ____ 乒乓球 。

5) Jiějie chúle ____ shǒujī, hái ____ shǒubiǎo.
   姐姐 除了 ____ 手机 ， 还 ____ 手表 。

6) Jīntiān wǎnshang gēge chúle ____ tǐyù jiémù, hái ____ jiàoyù jiémù.
   今天 晚上 哥哥 除了 ____ 体育节目 ， 还 ____ 教育节目 。

7. Refer to the Chinese and write appropriate tone marks on the following *pinyin*.

1) 你吃月饼不吃？

Ni chi yuebing bu chi?

2) 端午节中国人要吃粽子。

Duanwu Jie Zhongguoren yao chi zongzi.

3) 你除了学习汉语，还学习什么？

Ni chule xuexi Hanyu, hai xuexi shenme?

4) 龙舟比赛和书法比赛都很有趣。

Longzhou bisai he shufa bisai dou hen youqu.

8. Circle what they don't buy according to Part One of "Using in Context" on page 164 of the Student's Book.

yuèbing	shuǐguǒ	kāfēi	diǎnxin
月饼	水果	咖啡	点心
qìshuǐ	zòngzi	niúròu	chá
汽水	粽子	牛肉	茶

9. Use the provided radicals to form characters according to the *pinyin*.

chú	zòng	qiū	bǐng

禾	米
并	余
宗	饣
阝	火

10. Translate the English into Chinese using the provided characters.

月 龙 点
子 亮 果
饼 漂 舟
水 心 粽

moon _____ rice dumpling _____

light refreshments _____

moon cake _____ fruit _____

beautiful _____ dragon boat _____

11. Read the Chinese and choose the number of the appropriate picture.

①   ②   ③   ④

⑤   ⑥   ⑦

Nǐ qù shāngdiàn bú qù?
1) 你去商店不去？
Qù, wǒ qù mǎi Zhōngguóchá.
去，我去买中国茶。（ ）

Nǐ yào mǎi shénme?
2) 你要买什么？
Wǒ yào mǎi liǎng jīn diǎnxin, hái yào sān jīn shuǐguǒ.
我要买两斤点心，还要三斤水果。（ ）

Zhōngqiū Jié Zhōngguórén chúle chī yuèbing, hái kàn yuèliang.
3) 中秋节中国人除了吃月饼，还看月亮。（ ）

Duānwǔ Jié Zhōngguórén chúle kàn lóngzhōu bǐsài, hái chī zòngzi.
4) 端午节中国人除了看龙舟比赛，还吃粽子。（ ）

12. Choose the correct translation.

1) What would you like? (　　)

Nǐ yào shénme?
A. 你 要 什 么 ?

Nǐ shénme yào?
B. 你 什 么 要 ?

2) How many *jin* of pastry do you want? (　　)

Nǐ yào jǐ jīn diǎnxin?
A. 你 要 几 斤 点 心 ?

Nǐ yào jǐ jīn shuǐguǒ?
B. 你 要 几 斤 水 果 ?

3) During the Mid-Autumn Festival, I am going to eat moon cake and watch the moon.

(　　)

Zhōngqiū Jié wǒ kàn yuèliang.
A. 中 秋 节 我 看 月 亮 。

Zhōngqiū Jié wǒ chī yuèbing、 kàn yuèliang.
B. 中 秋 节 我 吃 月 饼 、 看 月 亮 。

4) During the Dragon Boat Festival, Chinese people watch the dragon boats and eat rice dumplings. (　　)

Duānwǔ Jié Zhōngguórén chī zòngzi、 kàn lóngzhōu.
A. 端 午 节 中 国 人 吃 粽 子 、 看 龙 舟 。

Duānwǔ Jié Zhōngguórén kàn lóngzhōu bǐsài.
B. 端 午 节 中 国 人 看 龙 舟 比 赛 。

5) Do you have a holiday during the Mid-Autumn Festival? (　　)

Zhōngqiū Jié nǐmen fàngjià ma?
A. 中 秋 节 你 们 放 假 吗 ?

Zhōngqiū Jié nǐmen yǒu jià bù yǒu?
B. 中 秋 节 你 们 有 假 不 有 ?

13. Your Chinese pen friend is visiting your family during Christmas. He speaks no English and asks you to explain how people celebrate Christmas in your culture. You could mention:

1) If you have a vacation during Christmas

2) What people do during the Christmas season

3) Typical Christmas food

4) Traditional Christmas activities

5) What your favourite Christmas activities are

6) If you are planning to spend Chinese New Year with your pen friend's family in China

14. Use the provided radicals to form characters as the example.

艹　节 _____

饣 _____

𧾷 _____

15. Practice writing characters.

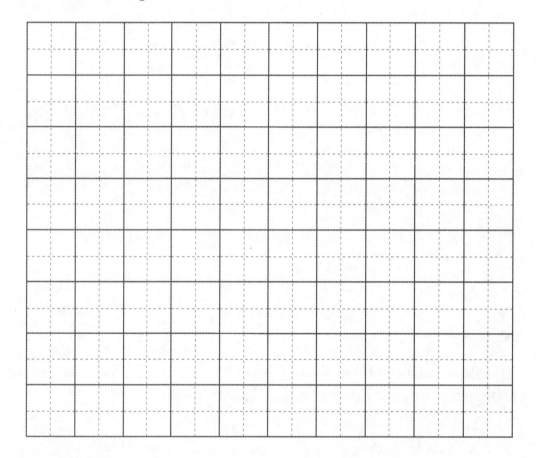

附录：1. 录音文本

第三课

　　妈妈早上五点半起床，给我们做饭。爸爸六点起床，喝咖啡。哥哥和我六点半起床、吃饭，七点哥哥和我去学校。

第七课

A：今天我们买什么？

B：爸爸要买一瓶水，妈妈要买鸡蛋和牛奶，姐姐要蛋糕，我要苹果和汽水。

第八课

　　鱼12块一斤，猪肉15块一斤，鸡4块5一斤，牛肉16块一斤，青菜2块8一斤。

第九课

1）我的自行车比哥哥的自行车贵。

2）姐姐的毛衣比妈妈的毛衣长一点儿。

3）哥哥的运动鞋跟我的运动鞋一样。

第十一课

　　我的中学科目很多，我喜欢很多有意思的科目。我喜欢历史和地理，我的考试成绩很好。我也喜欢音乐和体育。数学很难，没意思。汉语作业也不容易。

第十二课

　　我爱好运动。我打羽毛球，打乒乓球，也踢足球。我也喜欢语言，我学习法语，学习汉语。汉语的书法很难，也很有意思。

2.部分参考答案

第一课　他是谁

3. 友　名　字　姓　朋　　　　　6. 多　欢　字　朋

7. 他们　你们　名字　朋友　欢迎　地方　姓名

8. 1)B　2)A　3)B　4)A　5)B　　　　　10. 1)B　2)B　3)A　4)B　5)A

第二课　她比我高

3. 比　多　年　说　高　　　　　5. 1)④　2)③　3)①　4)②　5)①

7. 六岁　数学　工程师　小明　医生　9. 汉　语　艺　她

10. 今年　昨天　谢谢　英语　艺术　汉语　法语　今天

11. 1)A　2)B　3)A　4)A　5)B

12. 1)⑤　2)③　3)②　4)⑦　5)⑥　6)①　7)④

13. 1)B　2)A　3)A　4)B　5)A　6)A

第三课　我的一天

3. 床　饭　每　起　谁

5. 1)七点　2)七点　3)去学校　4)喝咖啡　5)八点四十五　6)上网

7. 1)T　2)F　3)F　4)F　5)T　6)T　　　　8. 睡　始　间　妹　晚

9. 时间　起床　开始　睡觉　晚上　每天　　10. 1)B　2)A　3)B　4)B　5)A　6)B

11. 1)④　2)③　3)①　4)⑤　5)②　6)⑥　　12. 1)B　2)A　3)B　4)B　5)A

第四课　我的房间

3. 发　里　沙　间　的　6.法文书　电影　音乐　灯　7.椅　客　厅　灯　床

8. 房间　厨房　桌子　客厅　沙发　书架　椅子　房子

9. 1)A　2)B　3)B　4)A　5)B　6)A　7)A

10. 1)④　2)③　3)②　4)⑥　5)⑤　6)①　7)⑦

11. 1)A　2)A　3)B　4)B　5)A　6)A

第五课 客厅在南边

3. 东 边 对 面 南   6. 1)③ 2)① 3)② 4)④ 5)⑤

8. 1)F 2)T 3)F 4)T 5)F 6)F   9. 饭 对 卧 室

10. 早饭 对面 客厅 东边 卧室 旁边 南边 饭厅

11. 1)A 2)B 3)A 4)B 5)A 6)B   12. 1)① 2)⑥ 3)④ 4)③ 5)② 6)⑦

13. 1)B 2)B 3)B 4)A 5)A

第六课 你家的花园真漂亮

3. 干 花 净 桌 真   7. 1)F 2)T 3)F 4)F 5)T 6)F 7)T

8. 整 齐 漂 园   9. 漂亮 花园 整齐 干净 书架 桌子 书桌

10. 1)A 2)A 3)B 4)B 5)A 6)B

12. 1)A 2)B 3)B 4)B 5)A

第七课 你买什么

3. 斤 买 西 还 和

6. 1)② 2)① 3)③ 4)①(④) 5)①(④) 6)① 7)④ 8)①

8. 咖啡 果汁 面包 鸡肉 汽水 猪肉 面条儿   9. 还 和 瓶 要

10. 苹果 鸡蛋 点心 牛奶 汽水 水果 东西

11. 1)A 2)B 3)A 4)C   12. 1)⑥ 2)② 3)④ 4)⑤   13. 1)B 2)A 3)A 4)A

第八课 苹果多少钱一斤

3. 少 分 共 块 钱   4. 1)24 2)8.6 3)0.75 4)0.5 5)2 6)11.99

5. 1)一块五 2)三块 3)两块二 4)一块六

6. 1)③ 2)② 3)①(④) 4)⑤ 5)① 6)①

8. 1)② 2)⑤ 3)③ 4)① 5)④ 6)④   9. 果汁 牛肉 鸡蛋 点心

10. 钱 块 鸡 猪 分 零   11. 猪肉 果汁 一共 小猫 多少 今年

12. 1)C 2)C 3)B 4)A   13. 1)B 2)B 3)A 4)B

第九课　这件衣服比那件贵一点儿

4. 衣　件　自　行　样

6. 1)②(④)　2)①　3)③　4)①(④)　5)⑤　6)①(④)　7)③　8)④

9. 便　样　件　服　跟　宜

10. 一样　便宜　自行车　干净　衣服　漂亮　爱好

11. 1)A　2)C　3)B　4)A　　　　　　12. 1)②　2)④　3)③　4)①

13. 1)B　2)A　3)B　4)A　5)A

第十课　你今天上了什么课

3. 了　历史　地理　　　　　　　　4. 1)T　2)T　3)F　4)T　5)T

6. 1)英语　法语　体育　　　　　　　7. 语　地　明　数　学　理

8. 历史　地理　上课　明天　音乐　德语　体育　数学

9. 1)⑥　2)⑧　3)⑦　4)③　5)②　　　10. 1)B　2)A　3)A　4)B　5)B

第十一课　汉语难不难

3. 业　作　科　思　意　　　　　　6. 2) a)F　b)F　c)T　d)F

7. 意　作　科　思　试　难

8. 没有　考试　科目　有意思　作业　上课　容易　中学

9. 1)B　2)B　3)A　4)A

第十二课　来打乒乓球吧

3. 习　毛　足　来　踢

4. 1)看　2)打　3)听　4)打　5)踢　6)看　7)打　8)打

6. 1)羽毛球　乒乓球　2) a)T　b)F　c)T　　　7. 踢　球　法　篮

8. 书法　踢足球　学习　羽毛球　每天　　　9. 1)C　2)A　3)B　4)A　5)C

10. 1)A　2)B　3)B　4)A　5)A

第十三课　明天有小雨

3. 风　明　雨　春　最

6. 1)③ 2)② 3)⑤ 4)④ 5)① 6)②③ 7)⑤ 8)①

9. 晴 秋 季 春 常

10. 季节 春天 秋天 晴天 小雨 最高 朋友

11. 1)A 2)B 3)C 4)A 5)C   12. 1)② 2)⑥ 3)④ 4)① 5)⑦

13. 1)A 2)B 3)A 4)A 5)A 6)A

第十四课 在公园里

3. 太 奶 园 草 跑

5. 1)② 2)① 3)③ 4)② 5)① 6)① 7)② 8)① 9)② 10)③

8. 奶 孩 跑 园 边 草 地 极

9. 公园里 孩子 湖边 常常 草地 散步 有时候

10. 1)A 2)B 3)A 4)A 5)B   11. 1)⑦ 2)① 3)⑤ 4)② 5)④

12. 1)A 2)A 3)B 4)B 5)A 6)A

第十五课 我感冒了

3. 头 肚 服 病 疼   5. 1)①② 2)① 3)② 4)③ 5)④ 6)① 7)②

6. 1)② 2)③ 3)① 4)④

9. 舒 晴 病 疼 红 眼 睛 感 冒 肚

10. 舒服 眼睛 感冒 肚子 头疼 医院

11. 1)B 2)B 3)A 4)B 5)A   12. 1)⑥ 2)④ 3)① 4)② 5)③

13. 1)B 2)B 3)A 4)B 5)A 6)A

第十六课 我喜欢你衣服的颜色

3. 红 色 动 运 新

6. 1)① 2)③ 3)② 4)① 5)① 6)③ 7)② 8)③ 9)③ 10)①

8. 1)T 2)T 3)F 4)T 5)T   9. 红 裤 鞋 流 越 新 蓝 穿

10. 颜色 红色 衣服 蓝色 流行 裤子 越来越

11. 1)A 2)B 3)B 4)A   12. 1)② 2)③ 3)⑥ 4)① 5)⑤

13. 1)B 2)A 3)A 4)B 5)B 6)A

第十七课　我跟爸爸一样喜欢京剧

3. 老　兴　剧　唱　票

6. 1)① 2)②(③) 3)②(③) 4)②(③) 5)① 6)②(③) 7)②(③) 8)① 9)①

9. 剧　唱　院　张　票　轻　演 10.剧院　唱片　表演　高兴　年轻人　老年人

11. 1)A 2)B 3)B 4)A 5)A 12. 1)① 2)⑦ 3)⑤ 4)② 5)④

13. 1)A 2)A 3)A 4)B

第十八课　音乐会快要开始了

3. 订　回　休　快　听

5. 1)① 2)② 3)③ 4)① 5)④ 6)⑥ 7)⑤ 8)① 9)⑦ 10)⑦

7. 1)B 2)A 3)A 4)B 5)A 8. 音　都　会　快　回　听　票　要　休　等

9. 休息　音乐会　回家　订票　快要　开始　每天　每年

10. 1)A 2)A 3)A 4)B 5)B 11. 1)② 2)④ 3)⑤ 4)⑥

12. 1)A 2)B 3)B 4)A 5)B

第十九课　我跟你一起看

3. 气　报　时　体　育 5. 1)③ 2)⑥ 3)① 4)② 5)④ 6)⑤ 7)⑦

7. 1)A 2)B 3)B 4)A 5)B 6)A 7)B 8. 教　预　好　起

9. 比赛　时候　预报　天气　教育　新闻 10. 1)A 2)B 3)B 4)B 5)A 6)B

11. 1)③ 2)② 3)④ 4)① 5)⑧ 6)⑦ 12. 1)A 2)A 3)B 4)A 5)A 6)A

第二十课　他的表演好极了

3. 为　以　因　极　所 5. 1)④ 2)③ 3)① 4)⑥ 5)② 6)⑦ 7)⑤

7. 1)A 2)B 3)A 4)A 5)A 6)B 7)B 8)B 8. 因　洲　际　极

9. 亚洲　欧洲　国际　因为　所以　有名　法国

10. 1)A 2)B 3)B 4)B 5)A 6)A 11. 1)③ 2)④ 3)⑤ 4)① 5)② 6)⑥

12. 1)B 2)B 3)A 4)B 5)B 6)B

第二十一课 你看广告没有

3. 心 手 告 话 表　　　　　8. 1)F　2)F　3)T　4)F　5)T　6)F　7)F

9. 市 地 铁 收　　　　　　　10. 没有　手机　市中心　广告　地铁　手表

11. 1)A　2)B　3)B　4)B　5)A　6)A　7)B

12. 1)④　2)②　3)①　4)⑤　5)③

13. 1)B　2)A　3)A　4)A　5)B　6)A

第二十二课 我去过故宫

3. 台 过 宫 城 美

6. 1)②　2)③　3)③　4)⑤　5)④　6)①　7)①　8)②　9)⑥　10)⑥

8. 上海　伦敦　埃及　天安门　　　　　9. 故　城　湾　伦

10. 长城　故宫　埃及　伦敦　台湾　德国

11. 1)B　2)B　3)A　4)A　5)A　6)B　7)B

12. 1)②　2)①　3)③　4)⑥　5)⑦　　　　13. 1)A　2)B　3)B　4)A　5)A

第二十三课 广州比北京热得多

3. 远 近 海 夏 得　　5. 1)⑥　2)②　3)①　4)⑤　5)③　6)④　7)⑦　8)⑧

7. 香港　美国　伦敦　故宫　长城　机场　火车站

8. 远 近 景 海 图 滩

9. 海滩　夏天　地图　风景　冬天　春天　暑假

11. 1)③　2)①　3)②　4)④　5)⑦　12. 1)A　2)A　3)B　4)B　5)A

第二十四课 吃月饼，看月亮

3. 午 龙 秋 饼 除　　　　　6. 1)①　2)③　3)②　4)④　5)⑥　6)⑤

8. 咖啡　汽水　粽子　牛肉　　　　　9. 除　粽　秋　饼

10. 月亮　粽子　点心　月饼　水果　漂亮　龙舟

11. 1)⑤　2)②③　3)④⑦　4)①⑥　　　12. 1)A　2)A　3)B　4)A　5)A